RETOUR BANGKOK

Eerste druk februari 2014

Michiel Heijungs

Retour Bangkok

Uitgeverij Van Oorschot
Amsterdam

Voor Aliza

I

Bangkok 1986. Jaar van de Vuurtijger

Binnen luttele seconden staat er een fles bier voor mijn neus en krijg ik gezelschap van een engel in pikante lingerie. Ze strijkt gracieus neer naast de barkruk waarop ik mij wankel in evenwicht houd, legt vertrouwelijk haar hand op mijn dijbeen en roept boven de muziek uit dat ik een bijzonder aantrekkelijke man ben.

'Same Robert Redford.'

Fijn compliment, die vent is zeker vijftien jaar ouder.

Ze gunt me geen tijd voor commentaar en gaat direct verder: 'You buy me *ladydrink*?'

Voordat ik kan bestellen verschijnt er een rum-cola op de bar met daarnaast een tweede fles Singhabier. Nu dat geregeld is wil ze weten waar ik vandaan kom.

Ik aarzel even en houd het op Australië. De engel is onder de indruk. Australië is een rijk land met vrijgevige mensen, heeft ze gehoord. Ze zou er graag eens naartoe willen, misschien neemt een knappe man haar ooit mee. Zij is niet de enige met die droom. Alle engelen willen weg, naar Australië, Amerika, Europa, terwijl vermoeide westerlingen in drommen hier het paradijs komen zoeken.

De airconditioning voert een ongelijke strijd tegen de wolken sigarettenrook en de warmte van te veel lichamen. Discolampen werpen bewegende lichtvlekken op de bar en de bezoekers. Lieftallige meisjes in bikini draaien rond de klanten als stekelbaarsjes op zoek naar voedsel. In een koperen kooi kronkelen naakte lichamen wulps op de maat van Jackson Browne's hit 'Stay'. Geluid op volle sterkte. De bassen beuken op mijn middenrif en de barkruk lijkt door de vloer te zakken. Ik word duizelig, klamp mij vast aan de kruk en hap naar lucht. Wat is er aan de hand? Jetlag? Onvoldoende zuurstof? Iets verkeerds gegeten of nog steeds de naweeën van die joint in het hotel?

Eerst merkte ik niets. Niet ongewoon als je bij een taxichauffeur scoort. De klap kwam pas toen ik al bezig was een tweede joint te draaien. De duizeling sneed mijn adem af en het werd zwart voor mijn ogen. Met het hoofd tussen de benen probeerde ik mijn ademhaling onder controle te krijgen. Ik kroop naar de badkamer, steunde op de toiletpot en gaf over tot er alleen nog schuim uit mijn maag kwam. Mijn hele lichaam was nat van het zweet. Ik sleepte me naar de douche, draaide de kraan open en bleef uitgestrekt op de tegels liggen terwijl het koude water over mijn hoofd en borst spetterde.

Ik weet niet hoelang ik daar lag voordat de aanval in kracht afnam. Uiteindelijk lukte het om overeind te komen en me af te drogen. Steunend tegen de muur strompelde ik naar de kamer en haalde een paar keer diep adem. Het ergste leek voorbij. Zonder het licht aan te doen kleedde ik me aan. De neonreclame aan de overkant zette de kamer in een rode gloed.

Eenmaal gekleed zette ik mijn gedachten op een rijtje. Over het geld maakte ik mij geen zorgen. Dat had ik zoals een goede koerier betaamt direct na aankomst vanaf het vliegveld verborgen. Veel mogelijkheden bood de hotelkamer daarvoor niet, maar het onderste deel van de boxspring leek me wel geschikt. Ik haalde de speciale tas, waarmee ik onopgemerkt de douane was gepasseerd, van onder mijn shirt en nam het geld eruit.

Plat op mijn rug naast het bed liggend, met mijn arm uitgestrekt, scheurde ik een gat in de stof en duwde de bundels Amerikaanse dollars één voor één in de opening. Beter dan de hotelsafe. Ik zag het voor me: buitenlander probeert tientallen bundels bankbiljetten in de kluis te proppen terwijl Thai conciërge nieuwsgierig over zijn schouder meekijkt.

Liever niet. Het zou opgemerkt worden en tot vragen leiden. De jongens zouden er niet om kunnen lachen.

Het geld was veilig, maar hoe stond ik er zelf voor? Ik deed het licht aan en bekeek mijzelf in de badkamerspiegel. Het viel mee: huid strak, beetje bleek, maar geen bloeddoorlopen ogen. Ik ging op één been staan en viel niet om. Evenwicht in orde. Ademhaling ook. Mijn tong was niet beslagen, maar mijn ogen stonden vreemd, de pupillen waren veel kleiner dan normaal. Wat had ik in godsnaam zitten roken? Radioactieve wiet uit Tsjernobyl, rijkelijk voorzien van exotische isotopen? De Sovjetunie is ver weg, maar je kan nooit weten met die *fall-out*. Onverstandig om in deze toestand de jungle in te gaan, maar in de hotelkamer kwamen de muren op me af. Ik maakte een paar snelle stoten naar de spiegel en ontweek soepel de counters. Reactievermogen prima in orde. Ik besloot het erop te wagen.

Op de trappen buiten het hotel stond ik een moment stil en keek uit over de stad. Een stad waar extremen de standaard vormen, het begint al bij de naam: *Krung Thep Mahanakhon Amon Rattanakosin Mahinthara Ayuthaya Mahadilok Phop Noppharat Ratchathani Burirom Udomratchaniwet Mahasathan Amon Piman Awatan Sathit Sakkathattiya Witsanukam Prasit.* 'Stad der Engelen, grote stad, verblijfplaats van de boeddha van Smaragd, onneembare stad van de God Indra, grote citadel van de Wereld, in het bezit van de Negen Edelstenen, gezegende stad, waar vele grote paleizen staan, gelijkend op het Paradijs waar de Wedergeboren God woont, Stad geschonken door Indra en gebouwd door Vishnu.'

Zelfs Thai kunnen dat niet onthouden en korten het af tot *Krung Thep*, Stad der Engelen. Wij vreemdelingen zeggen Bangkok en dat mag ook. Hoe je het ook noemt, het blijft hetzelfde oververhitte carnaval, gehuld in wolken uitlaatgassen en permanent op de rand van de chaos. Maar zelfs dat is schijn. Er zit een systeem in de waanzin, anders was heel de metropool allang weggezakt in het moeras waarop hij is gebouwd. Voor alles bestaan regels, geschreven en ongeschreven. Handhaving gebeurt discreet. Leven en laten leven is het devies, maar wee degenen die echt niet willen luisteren. De stad die belooft alle dromen waar te maken kan in een oogwenk veranderen in een nachtmerrie.

De schemering kleurde grijs en roze. Grote zwermen spreeuwen vlogen rond in cirkels en streken kwetterend neer op bomen, daken en de wirwar van elektriciteitskabels. Ik bekeek ze een tijd voordat ik de moed kon opbrengen de oorlogszone van Suriwong Road te betreden. Een kakofonie van over hun toeren gedraaide motoren, claxons en schreeuwende taxichauffeurs. *Tuktuks*, kleine driewielertaxi's, scheurden aan alle kanten langs me heen, wolken zwarte rook uitspugend. Ik baande me een weg tussen de voedselkramen en verkopers van namaak Rolexhorloges. Harde muziek kwam uit alle open deuren van restaurants en bars. Overal hingen de geuren van de tropische stadsnacht: sesamolie, citroengras en koriander gemengd met geconcentreerde uitlaatgassen en het zoete aroma van verrot fruit.

Ter hoogte van de SuperStar aarzelde ik. Daar zou ik collega's en bekenden treffen, mensen die me op de schouder zouden slaan, mijn hand schudden en vragen of ik nog met iets leuks bezig was. Uiterlijk onderscheidt de SuperStar zich niet van andere gogobars: halfnaakte meiden dansend aan palen, halfnaakte meiden op een podium, halfnaakte meiden bedelend om drankjes aan de bar. Het verschil zit in de clientèle. De tent zit iedere avond vol met westerse marihuanasmokkelaars en hun plaatselijke leveranciers. Ze bespreken leveringen, onderhandelen over prijzen en kwaliteiten, huren boten en bemanningen en regelen hun financiële verplichtingen. Allemaal openlijk. Om hen heen hangen booteigenaren, douanebeambten, opportunisten, lijfwachten, vriendjes, informanten, specialisten en ongetwijfeld narcotica-agenten. De jongens hadden me op het hart gedrukt er vandaan te blijven. Hun nieuwe partner is een man die graag onder de radar vliegt en dan moet je jezelf niet in de SuperStar vertonen.

Jammer, een avond onder vrienden, vol wilde plannen en sterke verhalen, was precies waar ik behoefte aan had. Ik dwong mezelf door te lopen. Een van de gogobars viel me op door een neonsilhouet van een naakte, liggende vrouw. Zonder naar de naam te kijken dook ik naar binnen.

En daar zit ik dan, duizelig en dorstig, met een engel op schoot. Ze heeft een tattoo van een zwarte panter die steels omhoog sluipt op haar dijbeen. De roze kattentong verdwijnt onder haar bikinibroekje en haar hand kruipt in de richting van mijn kruis. Ze lust nog wel een drankje en waarom ook niet. Voor iedere *ladydrink* krijgt ze veertig baht en ze verdient wel wat waardering voor het feit dat ze me verlost heeft van mijn eigen gezelschap. Een rum-cola voor de lady en zelf heb ik alweer een droge keel.

Het barmeisje brengt de drankjes. Ze is de enige in de verre omtrek die geen bikini draagt. Ik bekijk haar wat beter. Ze is anders, anders dan de anderen. Eerder een klassieke schoonheid dan een vulgaire barmeid. Modieuze jeans en een fleurig shirt geven haar een ongewone elegantie tussen al dat uitbundig uitgestalde vlees.

What's a sweetheart like you, doing in a dump like this, denk ik en ze kijkt me vreemd aan. Sprak ik dat nu echt hardop uit? Om het goed te maken geef ik haar honderd baht fooi, veel te veel, ik weet het, maar kan het niet laten. Ze schenkt me een glimlach die haar hele gezicht doet stralen. Een dergelijk glimlach zie je niet vaak, zelfs niet in Thailand. Die honderd baht zijn goed geïnvesteerd.

Als ze zich omdraait grijpt een dikke Duitser haar van achter beet en steekt een grote behaarde hand in de V-hals van haar shirt. Ze slaat zijn hand weg en bijt hem toe dat hij haar niet aan moet raken. Hij grijnst, te dom of te dronken om de situatie te begrijpen, en pakt haar opnieuw vast.

Wat er dan gebeurt gaat veel te snel. Ik zie een bierfles door de lucht zwaaien en op het hoofd van de Duitser uiteenspatten. Glassplinters vliegen over de bar. De stekelbaarsjes veranderen binnen een seconde in piranha's. Ze schoppen, slaan en steken op de man in. Sommigen klimmen op de banken om beter uit te kunnen halen met hun naaldhakken. De engel zit niet langer op mijn schoot. Ze heeft me in de steek gelaten en doet met duivels genoegen mee aan de slachtpartij.

De Duitser probeert zijn gezicht met zijn armen te beschermen, maar het zijn er te veel. Het bloed stroomt uit zijn mond, uit zijn neus en uit tientallen wonden in zijn gezicht. Zijn voorhoofd lijkt op een pas geslachte kip. Op dat moment galmt met perfecte timing de stem van Jackson Browne door de ruimte: *Oh won't you stay, just a little bit longer...*

Tijd om weg te wezen.

*

Plotseling loop ik weer tussen de eettentjes in de walmen van kokosolie en diesel. Van alle kanten komen de geluiden van de straat: claxons, geroep, geschreeuw en gelach. Kinderen verkopen kauwgom, duistere types mompelen vanuit hun mondhoek uitnodigingen tot het bijwonen van onbeschrijfelijke perversiteiten met pingpongballen, scheermesjes, Siamese lesbiennes en slangen. Ik wankel en word me langzaam bewust van twee meisjes die me ondersteunen. Het barmeisje van daarnet herken ik, het andere niet. Als ik struikel en bijna val, worstelen ze om me overeind te houden.

Ondanks mijn toestand begrijp ik snel dat deze meisjes het beste met mij voor hebben. Het barmeisje neemt de leiding en vraagt waar ik heen moet.

'Sheraton,' weet ik uit te brengen, 'Suriwong Road.'

De meisjes overleggen even, geven me allebei een arm en we gaan op pad. Dit is geweldig, bedenk ik, iedere bar zou dit soort service moeten bieden: zorgen dat dronken klanten veilig thuiskomen. En dan ben ik nog niet eens dronken. We steken de weg over, slaan een paar hoeken om en ik begin me af te vragen waar ze me heen slepen. Dit is niet de richting van het hotel.

'No worry,' blijven ze maar zeggen, ze zullen voor me zorgen.

Dat zit dus wel goed. Engelen liegen niet. En mochten ze

toch mijn keel doorsnijden, mijn geld roven en mijn lijk dumpen in een afwateringskanaal, dan is dat mijn eigen schuld. Het vooruitzicht om de volgende ochtend drijvend tussen het afval gevonden te worden jaagt mij weinig angst aan. Ik heb nu een stadium bereikt dat ik me over futiliteiten geen zorgen meer ga maken, dus ook niet over de talloze buitenlanders, of *farang*, zoals de Thai ons noemen, die volgens de kranteberichten ieder jaar spoorloos verdwijnen in de Stad der Engelen.

We laten de helder verlichte straten achter ons en verzeilen in steeds donkerdere en nauwere steegjes. Een hond blaft, een lucifer wordt afgestreken, een paar ogen volgt ons als we verder door de duisternis strompelen. Verderop is het iets lichter, de bewoners van een groep geïmproviseerde hutten van plastic en golfplaten hebben lampen opgehangen aan laaghangende elektriciteitskabels.

Tussen de hutten door leidt een plankier over een open riool. We lopen zo dicht langs de krotten dat we de mensen binnen kunnen aanraken. De meesten wenden hun blik af, enkele oudere mannen kijken begerig naar mijn engelen. Die geven geen krimp en leiden mij heelhuids door het doolhof. Aan de andere kant komen we uit bij een groot, grijs gebouw en we lopen de onverlichte gang in. Hoewel we vlak bij de drukte en herrie van Patpong moeten zijn, is het hier bijna griezelig stil.

Vanaf dat moment wordt mijn beleving van de werkelijkheid erg fragmentarisch. Ik lig op mijn rug. Een kleine halfdonkere kamer. Gefluister. Ik probeer mijn ogen te openen. Alles draait. Iemand trekt aan mijn schoenen.

'Hé, die schoenen kosten een vermogen!'

Alles draait en draait en draait. En dan zweef ik in een roze hemel tussen wolken van suikerspin. Zwaluwen schieten door de lucht in perfecte halve cirkels rondom een glimlachend boeddhabeeld. Ik ben dood, en ondanks alles toch in de hemel. Dat doodgaan viel mee, ze hebben hier zelfs muziek, ABBA nota bene: *Money, Money, Money...*

Heel toepasselijk, want met voldoende geld is alles te koop, inclusief de sleutels van de hemelpoort. Even later lukt het mijn ogen te openen en ik begrijp dat ik toch niet dood ben. De kamer draait niet meer, een lamp naast het bed geeft zacht licht en maakt het draaglijk mijn ogen open te houden en rond te kijken. Een Bob Marley-poster hangt aan de muur, aan het voeteneinde staat een lage tafel met stukjes mango, sinaasappel, banaan en wat brandende wierookstokjes, gerangschikt rond een boeddhabeeld met een guirlande van bloemen rond de nek.

Ik ga half overeind zitten en bekijk de rest van de kamer. Veel is er niet te zien, nog geen meter van het bed staat een goedkoop kamerscherm. Er hangen kleren overheen: een zijden kimono, een paar shirts, bh's, minuscule slipjes. Ik laat mijn hoofd weer zakken en luister met mijn ogen dicht naar de muziek: ...*money, must be funny in the rich man's world.*

Voetstappen komen naderbij en stoppen bij de deur. Ik houd me slapend, hoor iemand de kamer binnenkomen, voel dat diegene naast me op het bed komt liggen en ruik de zoete geur van jasmijn. Het is mijn engel, ze legt een koele doek op mijn voorhoofd, streelt mijn haar en vraagt bezorgd of ik ok ben.

Jawel, maar waar zijn we hier? Het blijkt haar eigen kamer te zijn, in een huis dat ze deelt met haar collega.

'No worry,' zegt ze voor de zoveelste keer, ze zal voor me zorgen.

Achter haar liggen mijn kleren, keurig opgevouwen, met mijn schoenen ernaast, dat is in ieder geval een hele opluchting. Volgens mijn engel heb ik veel te veel drugs gebruikt en zo voelt het ook. Maar wat heb ik nu helemaal naar binnen gekregen? Eén joint en drie biertjes, normaal gesproken op geen stukken na voldoende om een gezonde Hollandse jongen omver te krijgen. Ze gelooft er dan ook niets van, ze heeft nog nooit iemand in een dergelijk staat gezien als gevolg van een beetje *ganja*.

Pas nu kan ik haar echt goed bekijken: koperkleurige huid, kleine neus, waarschijnlijk van Cambodjaanse afkomst. Als ze praat en lacht is te zien dat een stukje van een voortand is gebroken. Ik kan mijn ogen niet van haar afhouden, zo'n meisje hoort niet thuis in een gogobar.

Mijn romantische bespiegeling wordt verstoord door geluiden van kokhalzen en overgeven vanaf de andere kant van het kamerscherm. Mijn engel legt uit dat haar vriendin plotseling erg ziek is geworden. Eerder op de avond heeft ze als een kleine assistent-engel nog geholpen mij hierheen te krijgen, nu kan ze zelf niet meer op haar benen staan. De kotsgeluiden worden erger, maar er lijkt niets uit haar maag te komen. Klinkt me bekend in de oren.

'Wat heeft ze? Te veel gedronken?' vraag ik.

Dat ook, legt mijn vriendin uit, maar het komt voornamelijk door liefdesverdriet. Haar vriendje is zoek, niet een tijdelijk *farang*-vriendje of een veredelde klant, maar haar echte vriendje, een goede Thai jongen die op dit moment bij de grens met Cambodja zijn militaire dienstplicht vervult. Vorige week zijn er gevechten uitgebroken, sindsdien is er niets van hem vernomen.

Dus die meid heeft gewoon haar zorgen verdronken, een probaat middel, maar je betaalt er altijd een prijs voor. Gaat wel weer over, weet ik uit ervaring. Als dat alles is...

Nee, zegt de engel, dat is niet alles. Haar vriendin heeft ook Captagon geslikt.

'Hoeveel?' wil ik weten.

Een heel pakje, zegt ze, vijfentwintig pillen.

Even denk ik dat het een grap is, maar ze verzekert me van niet.

O shit, waarom nu? Waarom in mijn aanwezigheid?

Captagon is een mild stimulerend middel dat in Europa alleen op doktersrecept wordt verstrekt. In Thailand is het officieel niet anders, maar in praktijk kan je het zo over de toonbank krijgen. Mild stimulerend, als je één tablet neemt. Als je er twee neemt wordt het rock-'n-roll en wie er drie neemt, loopt gegarandeerd van de rails. Ik kende ooit een steward, een gierende nicht, die er zes nam en vervolgens het nachtleven indook. Drie nachten lang stuiterde hij rond: agressief, opgefokt raaskallend en met het schuim op zijn lippen. Zijn maatjes kregen er genoeg van en deden een paar Mandraxtabletten in zijn bier om hem weer rustig te krijgen. Dat was geen goed idee, hij werd wakker op de intensive care. Een dosis van vijfentwintig pillen is genoeg om een olifant te roosteren.

Godverdeteringtyfus. Een ontnuchterende hoeveelheid adrenaline spuit door mijn aderen. Thailand heeft onlangs de doodstraf ingesteld voor buitenlanders die harddrugs aan Thai verstrekken. Doodstraf door middel van het vuurpeloton, wel een vertrek in stijl natuurlijk. Dit is precies wat ik nodig heb, morgenochtend wakker worden naast een lijk van een Thai staatsburger die overleden is aan een overdosis amfetamine. De politie zal mij automatisch de schuld geven, mijn hotelkamer doorzoeken en natuurlijk het geld vinden. Hoe ga ik dat uitleggen? De jongens zullen er weinig begrip voor kunnen opbrengen.

Ik spring uit bed en moet direct steun zoeken bij de muur. Geen tijd voor duizeligheid. Achter het kamerscherm is een hok met een toilet en een gebarsten wastafel. Het meisje ligt uitgeteld op de vloer met haar armen om de toiletpot. Haar hoofd rust op een onderarm en haar gezicht is zo bleek als de porseleinen pot die ze omarmt.

'Ze is veel te wit,' zeg ik tegen de engel.

Ze vindt dat niet verontrustend, haar vriendin is een Laotiaanse, die zijn bekend en geliefd om hun lichte huidskleur. En ook om de afwezigheid van schaamhaar, voegt ze er ondanks de omstandigheden giechelend aan toe. Prachtig, weer wat geleerd, met een beetje mazzel is ze dus nog niet dood. De Laotiaanse kreunt en ik voel me een stuk beter. Waar gekreund wordt, is leven. Maar ze is zo fragiel, zo bleek, zo wit dat ik betwijfel of haar lichaam een zware overdosis aankan. Voor je het weet geeft haar hart het op. Ik weet niet hoelang ik zelf buiten westen ben geweest, we moeten hier al uren zijn. Heeft ze hier al die tijd gelegen? Volgens mijn engel zijn we pas een half uur geleden thuisgekomen. Dat is moeilijk te geloven, maar het betekent dat er nog hoop is. Eigenlijk moet haar maag leeggepompt worden, maar voor een ambulance is geen tijd.

Na een korte aarzeling trek ik het bewusteloze meisje aan de armen omhoog. Ze is zo licht als een veertje. Ik sla een arm om haar middel en houd haar hoofd boven de toiletpot. Tegelijkertijd ram ik twee vingers in haar keel. Het lichaam schokt ongecontroleerd, tranen lopen uit haar ogen en ze begint weer over te geven. Dat moeten we hebben. Ze komt een beetje tot leven, verzet zich zwakjes tegen mijn greep, maar ik houd net zolang vast tot er niets meer uit komt. Nu hebben we water nodig. Ik vind een grote fles Aqua en dwing haar, met het hoofd achterover getrokken en de neus dicht geknepen, zoveel mogelijk naar binnen te werken. Na een halve fles begint ze weer over te geven. Ze probeert mijn hand weg te duwen, maar ik giet zonder genade de rest naar binnen. Opnieuw grijpt ze de toiletpot en braakt alles uit. Ziezo, daar kan nooit veel Captagon meer in zitten en verder zoekt ze het zelf maar uit. Met moeite bereik ik het bed en laat me uitgeput achterovervallen.

Even later voel ik dat mijn engel weer naast me ligt. Haar handen strelen zacht over mijn borst, armen en buik. Ze voelt dat ik wakker ben, legt haar hoofd op mijn schouder, kust mijn oorlel en fluistert: 'You bad boy.'

Ziet ze dat in de lijnen van mijn hand of aan mijn collectie littekens? Ze ligt heel dicht tegen me aan, alleen gekleed in een ruim roze shirt en een klein wit slipje. Haar benen zijn lang, glad en slank. De eerste keer dat ze me zag in de Roxy, de bar waar ze werkt, vond ze me direct een heel aantrekkelijke man, vertelt ze, net een filmster. Dat komt de laatste tijd vaker voor, maar vleierij werkt altijd bij mij. Nu knijpt ze in mijn biceps en stompt tegen mijn schouder.

'Very strong,' is haar oordeel.

Straks zegt ze nog dat ik op Rambo lijk, maar zo ver komt het gelukkig niet. In plaats daarvan legt ze een vinger op het litteken naast mijn mond.

'You very bad man,' zegt ze nog eens met nadruk.

Ik vind alles best. Als ze wil dat ik slecht ben, dan ben ik slecht.

Zachtjes trek ik haar naar me toe. Haar shirt valt open en onthult een kleine, maar perfect gevormde borst. Haar been glijdt langzaam over het mijne. Terwijl ik haar streel bedenk ik dat de laatste kerel die dat probeerde half aan stukken werd gesneden met naaldhakken en bierflessen. Maar op dit moment ben ik buiten gevaar: haar schoenen staan netjes op de vloer naast mijn loafers en nergens in de omtrek is ook maar iets te zien wat op een bierfles lijkt. Ze laat het shirt van haar schouders glijden, trekt haar slipje uit en komt boven op me zitten. Of ik alweer een beetje ben uitgerust, vraagt ze. Het was een zware dag en ik word een dagje ouder, zeg ik, ze zal een beetje haar best moeten doen. Dat is niet aan dovemansoren gericht.

*

Het is nog maar nauwelijks licht als ik ontwaak door gekwetter van vogels en het geluid van regen, tikkend op het zinken dak. Ik blijf liggen met gesloten ogen voor het geval dat ik nog droom. Er zijn geen straatgeluiden of stemmen te horen, maar in de verte klinkt gegiechel. Slaperig strek ik een arm uit om de engel aan te raken. De plek naast me is leeg.

Ik knipper met mijn ogen tegen het ochtendlicht en realiseer me dat het giechelen van buiten komt. Nieuwsgierigheid wint het zoals altijd van luiheid en ik kom overeind om het verschijnsel te onderzoeken. De deur van het kamertje staat halfopen en aan de overkant van de gang zit een meisje in lotushouding in de deuropening van haar kamer. Ze draagt een blauwe sarong en een wit shirt zonder mouwen. Haar sandalen staan binnen handbereik netjes op de vloer. Ze ziet me kijken en zegt zachtjes iets tegen iemand verderop. Ik verdraai mijn nek om te zien tegen wie ze praat en zie een ander meisje zitten in een deuropening. En nog een, en nog een, een hele rij deuren met zittende meisjes ervoor, doorlopend tot een binnenplaats.

Daarboven hangt een dreigende lucht. Langs de buitenmuren staan potten met orchideeën, tijgergestreept, luipaardgevlekt en royalistisch oranje. Wasgoed hangt onder een plastic zeil op bamboestokken te drogen. Met dit weer zal dat niet erg vlotten. De meisjes zitten rustig in hun deuropening. Het doet me eerder denken aan een seminarie met nonnen dan aan een woonkazerne vol hoeren. Zonder hun make-up, westerse kleding, aanstellerige maniertjes en het neon van Patpong, lijken ze klein, boers en preuts.

In de kamer tegenover mij zie ik in het halfdonker de gloed van wierook voor een boeddhabeeld met een krans van bloemen en keurig gesneden vruchten op een lage tafel. Ik weet dat in elk van de kamertjes zo'n huisaltaar staat. Het leven is duur, maar op offerandes voor de boeddha wordt niet bezuinigd en op familie ook niet. De meeste meisjes sturen regelmatig geld naar hun ouders en andere familieleden, meestal in het doodarme noordoosten van het land.

De meisjes praten en lachen zachtjes met elkaar.

'Noi go shop,' informeert mijn buurvrouw me.

'Noi?' herhaal ik.

Mijn vriendin, legt het meisje uit. Noi is haar bijnaam, haar echte naam is Sarakit. Thai namen zijn vaak lang en ingewikkeld, ook voor de Thai zelf. Daarom hebben bijna alle Thai van kinds af aan een korte bijnaam. Het aantal variaties is beperkt: Gai, Nok, Miauw, voor kip, vogel, kat. Kung en Moo, voor garnaal en varken en zo nog het een en ander. Noi betekent 'kleintje'.

'Waar ben ik eigenlijk?' vraag ik

'Soi 55,' is het antwoord.

Soi is het Thai woord voor steeg of zijstraat. We zijn dus ergens in de vijfenvijftigste zijstraat van een grote doorlopende weg, Suriwong waarschijnlijk. Daar schiet ik niet veel mee op.

'Ik dacht in de hemel te zijn, omringd door wonderschone engelen,' grap ik tegen het meisje.

Ze glimlacht en praat snel en zacht met de andere meisjes om te vertalen wat ik heb gezegd. Haar uitleg veroorzaakt een nieuwe uitbarsting van gegiechel. Hun verlegenheid maakt plaats voor nieuwsgierigheid. Twee van de meisjes staan op en komen dichterbij zitten.

Dan komt Noi de hoek om met een grote boodschappentas zwaaiend aan haar arm, gekleed in een felrode sarong en een wit shirt. Ze is nog mooier dan vorige nacht en als ze haar mond opent om iets te zeggen vang ik een glimp op van die gebroken voortand die mij hartkloppingen en een erectie bezorgt. Ze praat even met de meisjes, zo te zien om duidelijk te maken dat ik bij haar hoor en ze zich niets in hun hoofd moeten halen. Ze trekt haar sandalen uit bij de deur en begroet me: 'Sawadee kaa, you ok?'

'Ik dacht al dat je me hier had gedumpt,' zeg ik om haar een beetje te plagen.

Ze vertelt heel serieus dat ze ontbijt heeft gehaald en mij niet wakker wilde maken.

'Je bent maar net op tijd terug,' plaag ik nog even door, 'ik was al gezellig met je vriendinnen aan het kletsen.'

'You butterfly,' antwoordt ze, nog steeds serieus klinkend.

Ik ben in mijn leven voor van alles en nog wat uitgemaakt, maar een vlinder... dat zal ze moeten uitleggen. Knappe mannen zijn net vlinders, zegt ze, vliegend van bloem tot bloem voor hun plezier. Ik ontken heftig. Ze blijft ernstig, alle *farang*mannen zijn *butterfly*, dat weet iedereen. Morgen zeg ik lieve dingen tegen een andere barmeid en met al mijn mooie praatjes ken ik niet eens haar naam.

'Sarakit,' zeg ik, 'roepnaam Noi.'

Ze kijkt verrast, bestudeert mijn gezicht. Dan kijkt ze naar haar vriendinnen en maakt er verder geen woorden meer aan vuil.

Uit de boodschappentas komen tientallen pakjes die ze op de lage tafel zet. Eerst transparante plastic zakjes met uitgeperst vruchtensap, bovenaan vastgebonden met een elastiekje. Dan het fruit: mango, papaja, bananen en een paar vruchten die ik niet ken. Ze wast het fruit met drinkwater, schilt het, verwijdert zorgvuldig de pitten. Ik kijk achter het kamerscherm.

'Waar is die Laotiaanse van gisteravond?' vraag ik.

Over haar hoef ik me geen zorgen te maken, zegt Noi, ze is naar huis gegaan en is voorlopig weer in orde tot de volgende crisis. Die meid is stapelgek, vertelt ze, iedere keer als er even iets niet lekker loopt, slikt ze een pakje pillen, meestal Captagon. Tot nu toe is het steeds goed afgelopen.

Noi vervangt het oude fruit op het altaar door nieuwe stukken en groet het boeddhabeeld met een hoge *wai*, een eerbiedige groet, met de handpalmen tegen elkaar ter hoogte van haar voorhoofd. Nadat de boeddha is afgehandeld, bedient ze mij. Ik krijg een bord met stukken fruit, besprenkeld met zout, suiker en chilipoeder. Niet de manier waarop ik gewend ben mijn fruit te eten. De andere pakjes bevatten zoute vis, kip met chili, koriander en knoflook en groene kerrie met garnalen. Er is ook een gedeukte aluminium pan met gekookte rijst.

Terwijl ik eet, maakt ze oploskoffie met gecondenseerde melk en weigert iets te eten voordat ik helemaal klaar ben. Dan eet ze een beetje rijst met zoute vis. Dik zal ze niet snel worden. Voldaan leun ik achterover en vraag of hier ergens *ganja* te scoren valt. Als ik wat bankbiljetten aan haar wil geven duwt ze mijn hand weg.

'No need,' zegt ze en praat even met een van de meisjes in de gang.

Die gaat weg en komt even later terug met een bruine envelop vol toppen en een pakje sigaretten. Vloeitjes kennen ze hier niet, maar ze hebben hun eigen oplossing die minstens zo goed werkt. Noi en twee andere meisjes gaan op de grond zitten met in het midden een tijdschrift. Daarboven breken ze de toppen, verwijderen de steeltjes en de zaden en wrijven de marihuana fijn. De geur vult de hele kamer. Daarna rollen ze de sigaretten tussen hun vingers tot alle tabak eruit is en er lege cilinders over blijven. Het filter houden ze bij hun mond, het andere uiteinde bij het bergje wiet en zo zuigen ze het spul in de sigaret. Om te voorkomen dat het er weer uitvalt, draaien ze het uiteinde dicht. Hoewel ik een voorkeur heb voor grote joints van drie vloeitjes ben ik onder de indruk. Als ik maar genoeg van die geïmproviseerde mini-joints rook moet het ook lukken.

Fout, eentje is genoeg. Ik vul mijn longen met rook en zweef bijna direct weg. Liggend op het bed sluit ik mijn ogen en luister naar de geluiden om me heen: zacht gepraat, gelach, vogels en regen, Van Morrisons 'Brown Eyed Girl' op een goedkope transistorradio. Even later voel ik zachte handen. Ik kijk en zie dat de andere meisjes zijn verdwenen. Noi ligt naast me, ze is naakt. Waarom blijf ik niet bij haar, hier in Bangkok, fluistert ze in mijn oor. Ja, waarom niet eigenlijk? Mijn Mercedes, Harley, huis in Amsterdam en bankrekening hebben me nooit zo gelukkig gemaakt als nu. Zou ik het missen? Die bankrekening wel, maar de rest... Noi masseert mijn rug en nek en terwijl ik mij voorstel hoe het zou zijn om hier te blijven, val ik in slaap.

Bij het ontwaken lig ik nog steeds te glimlachen en ben ik zo ontspannen dat ik me niet wil verroeren. Het geluid van de regen op het dak werkt hypnotiserend, zo wil ik altijd blijven liggen, geen zorgen in de wereld en nergens waar ik zo nodig naartoe moet...

O shit. Met een ruk zit ik rechtop. Mijn afspraak met de jongens in de Engelse Club. De Moeder Aller Afspraken, als je ze moet geloven. Helemaal vergeten. Ik graai mijn kleren bij elkaar en kijk op mijn horloge. Half één, dat geeft me een half uur om naar het Sheraton te gaan en me te verkleden. Vandaar is het vijf minuten. Moet lukken.

Noi vraagt waar ik heen wil en ik leg uit dat ik een belangrijke afspraak heb. Kan ze niet met mij meekomen, wil ze weten, maar daar kan geen sprake van zijn. Ze is zichtbaar teleurgesteld, maar dit is puur zakelijk. Ik moet iemand ontmoeten en kan daar geen getuigen bij gebruiken. Zo zijn de regels en dit is niet de plaats of de tijd voor slordigheden. Ik probeer haar gerust te stellen, tegen vijf of zes uur ben ik klaar en daarna kom ik haar ophalen.

Daar heeft ze zo te zien weinig vertrouwen in. Om het een beetje goed te maken stel ik voor vanavond naar het Oriental Hotel te gaan, dineren op het terras met uitzicht op de Chao

Phraya-rivier. Ze voelt er niets voor, het Oriental is voor rijke toeristen, ze laten haar waarschijnlijk niet eens binnen.

'Ik kom echt terug, erewoord,' benadruk ik nog een keer.

Ze lijkt niet overtuigd en veel zin om hier op me te wachten heeft ze ook niet. Het is beter dat ik vanavond om een uur of acht bij de Roxy kom. Ik vind het allang best, de meeste meiden zouden nog urenlang doorzeuren. Kan ze zo snel mogelijk een taxi laten komen? Ze slaat een hand voor haar mond, giechelt en zegt dat er vanwege de regen geen taxi's rijden.

Waar heeft ze het over?

'Road same river now,' verklaart ze.

Probeert ze me te vertellen dat de straten overstroomd zijn? Ze knikt, nog steeds met die hand voor haar mond om haar lachen te verbergen. Dat moet een smoesje zijn om me hier te houden. Ik loop naar buiten, door de gang, over de binnenplaats en sta dan stomverbaasd stil.

Voor het gebouw, waar gisteren de straat nog liep, stroomt nu het water met overal drijvende stukken afval, plastic zakken, fruitresten en opgezwollen dode ratten. De *klongs*, de kanalen die Bangkok overal doorkruisen, zijn door de moessonregens buiten hun oevers getreden. Straten staan onder water, alle vervoer is tot stilstand gekomen. Aan de overkant is een eetstalletje met een paar metalen klaptafels en stoelen waar vier mannen, zonder shirts en tot aan hun middel in het water, onverstoorbaar hun lunch zitten te eten.

Noi staat bij de deur van haar kamer en kijkt blij. Nu moet ik wel bij haar blijven, ten minste tot het overal weer droog is en dat kan wel even duren. Maar deze afspraak kan ik niet missen, dat zou een ramp zijn, net nu mijn carrière in een stroomversnelling raakt. Onmogelijk om uit te leggen, maar ook zonder het te begrijpen ziet ze aan mijn gezicht dat ik me grote zorgen maak.

'No worry,' zegt ze.

Ze pakt mijn hand, leidt me terug naar buiten en roept iets tegen de lunchende mannen. Een van hen knikt en praat met iemand in het huis achter hem.

'No worry,' herhaalt ze.

Na een minuut of tien wachten komt er een kano om de hoek, bestuurd door een jongen met een lange vaarboom.

'Je bent een genie,' roep ik uit, terwijl ik haar omhels.

Verlegen doet ze een stapje terug, Thai houden niet van intimiteiten in het openbaar. Ik verontschuldig me.

'No worry,' zegt ze nog maar eens.

De kano legt aan bij de trap. Van dichtbij lijkt het verdacht veel op een uitgeholde boomstam. Het ding wankelt en slaat bijna om als ik probeer in te stappen en met moeite mijn evenwicht bewaar. De jongen leunt zwaar op de vaarboom om de kano overeind te houden. Hij wacht tot de zware *farang* veilig en wel zit en gaat er dan met een noodgang vandoor.

'Tot vanavond,' roep ik over mijn schouder.

Ze antwoordt niet en kijkt ons zwijgend na terwijl de kano over het grijze water schiet.

2

Uit eigen ervaring weet ik dat het helemaal niet zo onverstandig is een flink deel van de tijd halfdronken of stoned door te brengen. Die gewoonte bespaart me al jaren veel conflicten en ergernissen. Mijn eerste joint, zo rond mijn zestiende, leidde niet tot spirituele inzichten of religieuze openbaringen. Het was veel beter: ik kon me eindelijk eens ontspannen en dat was hoognodig. Sinds het ouderlijk gezag had besloten te verhuizen van Amsterdam naar de diepe provincie, raakte ik daar voortdurend verwikkeld in conflicten. Wie in het naargeestige provinciestadje correct Nederlands sprak was een aansteller, wie elke dag onder de douche stond een flikker, en wie op het Protestants Christelijk Streek Lyceum te veel vragen stelde een onruststoker. Betrapt worden op het roken van hasj leverde het predikaat jeugddelinquent op.

Regelmatig cannabisgebruik sleep de allerscherpste randjes weg en heeft zodoende waarschijnlijk een paar klootzakken het leven gered. Daarnaast kreeg ik vlot in de gaten dat de plaatselijke dealer leuk verdiende, te zien aan de mooie spullen die de jongen erop nahield. Op het schoolplein betaalden we hem een tientje voor een lullig stukje uitgedroogde hasj, gewikkeld in zilverpapier. De aanvoer was onregelmatig. Dat moest beter kunnen.

Ik zocht en vond voldoende kennissen die bereid waren mij ieder tien gulden toe te vertrouwen. Met tweehonderd gulden op zak liftte ik naar de dichtstbijzijnde grote stad en vond daar zonder moeite een gevestigde dealer die mij voor dat geld graag een mooi stuk verse Rode Libanon verkocht. Dat verdeelde ik in dertig gelijke delen. Een bescheiden begin van voorraadvorming. Die stukken waren groter dan de miezerige stukjes die we tot dan toe kochten en de kwaliteit was beter. Gevolg: algemene tevredenheid en een explosief uitbreidende klantenkring. Al snel ging ik eens per week heen en weer, maakte leuke winsten en kocht na enkele maanden een gloednieuwe en opgevoerde Puch in de meest luxe uitvoering. Afgelopen met liften.

Mijn succes bleef niet onopgemerkt en de concurrentie was niet blij. Op een dag werd ik na schooltijd in de fietsenstalling staande gehouden door de voormalige leverancier wiens klantenkring tot vrijwel nul was gereduceerd, een jongen van twee jaar ouder en een kop groter. Hij beet me toe dat ik moest stoppen met de hasjverkoop, want anders...

'Anders wat?' vroeg ik zo neutraal mogelijk.

Hij had daar niet direct een duidelijk antwoord op, uitte wat vage bedreigingen en refereerde aan bepaalde gevaarlijke vriendjes die hij zou hebben. Ik luisterde nauwelijks en keek om me heen. De fietsenstalling werd op dat moment verbouwd, overal slingerden bouwmaterialen rond. Ik pakte een baksteen van de grond en ramde die zonder een woord te zeggen met volle kracht tegen het hoofd van de jongen tegenover me. Die ging neer als een blok. Voor de zekerheid sloeg ik hem nog twee keer met de baksteen hard in het gezicht.

'Anders wat?' vroeg ik nog een keer.

Ik kreeg geen antwoord.

Pech voor hem. Voor mezelf opkomen was nou net de enige nuttige vaardigheid die ik in het naargeestige provinciestadje had geleerd. Al heel vroeg en uit bittere noodzaak. Om vanuit onze nieuwbouwwijk naar school te gaan, moest ik door een zogenaamde volkswijk. Bijna ieder dag versperde een paar oudere jongens me daar de doortocht. Ik had nog niet geleerd met dat soort situaties om te gaan en kreeg regelmatig klappen omdat ik geen tol wilde en kon betalen. Uiteindelijk verdomde ik nog langer naar school te gaan. Het ouderlijk gezag haalde er artsen en psychologen bij, maar die konden er ook niet veel mee. Ten einde raad werd een oom te hulp geroepen.

Oom Fleur, een lange dunne man met een donkere huid, fel-

blauwe ogen en opvallend grote handen, was geen echte bloed-
verwant, maar een oude vriend van de familie. Een voormalige KNIL-militair met een Nederlandse vader en een Javaanse moeder die bekend stond als *Dukun*, tovenaar, hoewel bijna
niemand daar serieus in geloofde. Daarnaast genoot hij in kleine kring respect als betrouwbaar raadgever in lastige zaken en
als grootmeester in de traditionele Indonesische gevechtskun-
sten. Dat leek in dit verband een nuttiger vaardigheid. Oom
kon misschien een keer meelopen naar school om met de jongens te praten.

Oom Fleur weigerde pertinent om me naar school te begeleiden. De jongen moest leren voor zichzelf te zorgen, vond hij.

'Je moet gewoon terugmeppen joh. Hoeveel jongens zijn
het?'

'Meestal twee oom, soms eentje, maar ze zijn allebei veel
groter dan ik.'

'Dat heeft er niets mee te maken. Is dat je schooltas?'

'Ja oom.'

'Geef dat riempje eens aan.'

Hij bestudeerde de riem die ik gebruikte omdat een van de
sloten van de schooltas stuk was. Een dunne leren riem met
een metalen gesp aan het uiteinde. Aan de gesp zat een scherpe
punt. Oom wikkelde de riem om zijn hand, maar liet het uiteinde met de gesp ongeveer 30 cm vrij hangen. Hij keek om zich
heen. We zaten op dat moment alleen in de keuken. Oom stond
op en haalde met een zweepachtige beweging uit naar de grote, stevige boodschappentas vol aardappelen op de tafel. De
tas scheurde van onder tot boven open, de aardappelen rolden
over de vloer. Oom grinnikte.

Ik had het begrepen. Ik was twaalf jaar oud en had het meteen begrepen.

Het voelde alsof er een vloek werd opgeheven. Oom liet nog
zien hoe ik de riem om mijn hand moest wikkelen en vanuit
de pols een zwiepbeweging moest maken. Hij raadde aan om
flink te oefenen, maar hij zag dat ik het inderdaad had begrepen. De te volgen strategie was volgens hem eenvoudig.

'Niet praten, geen woord. Je moet meteen meppen. Je houdt de riem om je hand en je schooltas onder je arm. Als ze je tegenhouden of duwen of wat dan ook, laat je de tas vallen en haalt direct uit. Zwiep, schuin van boven naar beneden over zijn rotkop en dan zwiep, terug met de backhand. Als ze bloed zien is het meteen afgelopen, maakt niet uit hoeveel het er zijn.'

Het liep precies zoals hij had voorspeld. Ik liep over straat met de riem in mijn handpalm verborgen. Keurig op tijd doken mijn kwelgeesten op, scheldend en dreigend. Geduld, zei ik tegen zichzelf, wacht. Ik reageerde niet en liep door met mijn ogen op de grond gericht. Nog even. Op het moment dat ze voor me stonden en de weg versperden, haalde ik uit en legde al mijn onderdrukte woede in de slag. Het resultaat was boven verwachting. De eerste ging direct tegen de vlakte en gilde dat hij blind was, de tweede wist niet hoe snel hij moest wegkomen.

Vanaf die tijd volgde ik twee of drie keer per week lessen in zelfverdediging bij oom Fleur. Soms samen met anderen in een gymzaaltje, soms alleen bij oom thuis. Ik leerde nuttige slagen, schoppen en grepen, maar het belangrijkste deel van de les was onderricht in de juiste mentaliteit: niets pikken. Nooit over je heen laten lopen. Nooit aarzelen. Toeslaan als de ander nog in het stadium is van schelden, duwen en trekken. En, tweede les, beschouw alles als een wapen: handpalm, knie, elleboog, maar ook fietsslot, baksteen, melkfles, sleutelring. Sportiviteit is voor tenniswedstrijden. Dit gaat niet om het winnen, maar om overleven. Je moet bereid zijn te verminken, te doden, te verscheuren. Dat ruiken ze en dan laten ze je wel met rust.

In mijn jeugdige naïviteit vroeg ik oom Fleur een keer of hij zelf ooit wel eens een gevecht had verloren. Hij keek me oprecht verbaasd aan en antwoordde: 'Hoezo verloren, ik leef toch nog?'

De meeste van die nuttige slagen, schoppen en grepen ben ik allang weer vergeten, zulke dingen moet je bijhouden. Maar de instelling raak je nooit meer kwijt. Of oom Fleur me een plezier deed door me te leren niets te pikken is de vraag. Het maakt het leven niet altijd makkelijker. Toch zal ik hem altijd dankbaar blijven voor die les.

De dealer op de vloer van het fietsenhok van het Protestants Christelijk Streek Lyceum kreunde en probeerde zwakjes zijn gezicht met zijn armen te beschermen. Wat mij betreft ging hij hierbij officieel met pensioen. Eigen schuld. Tegen eerlijke concurrentie heb ik geen bezwaar, tegen bedreigingen wel.

De gevaarlijke vriendjes lieten zich nooit zien en tegen het einde van mijn middelbareschooltijd had ik een leuk bedrag gespaard dat mij in staat stelde als student in Amsterdam een heel plezierig leven te leiden.

Ik probeerde het eerst met rechten. Boeiend genoeg, maar het werd snel duidelijk dat wetteksten en rechtspraktijk twee volstrekt verschillende zaken zijn. Rechtszekerheid en rechtsgelijkheid zijn leuke begrippen voor de collegezaal. Daarbuiten is het recht gewoon te koop. Bovendien kwam ik zelf in aanvaring met justitie.

Om zonder de lessen van oom Fleur een beetje in vorm te blijven was ik gaan boksen. Een van de jongens op de sportschool vroeg me hem een avond te vervangen als portier van een bekende discotheek. Makkelijk baantje: gratis drank, lekkere meiden en nooit problemen, verzekerde hij.

Dat heb ik gemerkt. Ik probeerde twee bezopen lastpakken met zachte drang naar de deur te leiden. Ze liepen gewillig mee tot een van de jongens plotseling een mes uit zijn laars trok en uithaalde. Daarmee verspeelde hij ieder recht op een beschaafde behandeling. Oom Fleur was duidelijk geweest: er bestaat geen afdoende en betrouwbare verdediging tegen een mesaanval. Al die fraaie technieken werken niet in praktijk. Voordat je het weet liggen je handen aan flarden. Het enige wat je kunt doen is heel hard wegrennen en als dat echt niet kan, probeer dan een schoen, een jas of ander voorwerp te pakken om daarmee af te weren. Mocht dat met veel mazzel lukken, moet je het meteen afmaken. Geen tweede kansen.

Ik had de noodzakelijke mazzel en hield er niet meer aan

over dan een diepe snee in mijn wang. Niet mijn eerste, niet mijn laatste, maar wel mijn meest zichtbare litteken. Beide knapen raakten behoorlijk beschadigd. De officier van justitie probeerde me met alle mogelijke middelen zoveel mogelijk angst aan te jagen en liet me een dag in de cel doorbrengen. Uiteindelijk stond hij met lege handen omdat voldoende getuigen gezien hadden dat de andere partij een mes trok. Van enig respect voor justitie bleef bij mij niet veel over.

Ik probeerde het nog met economie en scheikunde, maar na drie jaar en drie afgebroken studies had ik het wel bekeken. Net toen ik het plan opvatte om maar eens iets van de wereld te gaan zien liep ik mijn oude vriend Mark tegen het lijf. Mark had een stuk meer van de wereld gezien dan ik en kwam net terug van een lange reis door het Verre Oosten. We kenden elkaar van het eerste jaar rechten en waren min of meer bevriend geraakt. Dat wil zeggen: we bezochten dezelfde colleges, dezelfde kroegen, dezelfde feesten en zaten achter dezelfde meiden aan. We rookten samen een half miljoen joints en ik voorzag hem van goede hasj voor een vriendenprijs. Inmiddels zat Mark in het derde jaar, hard op weg om fiscalist te worden. In de tussentijd zag hij kans om vier maanden met de beruchte Magic Bus door Afghanistan, India en Nepal te zwerven, een avontuurlijke en soms hachelijke tocht, waarover hij graag sterke verhalen vertelde.

Niet ver van de Afghaans-Pakistaanse grens dacht Mark dat hij er geweest was. Tot ongenoegen van de passagiers laste de buschauffeur een onverwachte rustpauze in op een verlaten parkeerhaven midden in het niemandsland. De reizigers hingen verveeld rond tot het hem behaagde verder te rijden. Enkelen keken wat ongerust uit over het barre maanlandschap. De wind blies stof in hun ogen en nergens was een teken van leven te bespeuren.

Mark zat een eindje verderop in de schaduw van een rotsblok voor zich uit te staren. Om problemen met de douane te voorkomen had hij zijn hele voorraad Afghaanse hasj achter elkaar opgerookt. Hij meende in de verte het geluid van donder te horen en even later zag hij aan de horizon een grote zandwolk die zich snel in hun richting bewoog. Dichterbij gekomen viel de wolk uiteen in tientallen ruiters, galopperend over de steppe als indianen op oorlogspad. De aarde dreunde, de lucht trilde, zand stoof op onder de paardehoeven.

In eerste instantie dacht hij nog aan een hallucinatie. Wat moest het anders zijn? Een hele club woeste figuren op paarden met alles erop en eraan: baarden, tulbanden, zwaarden, geweren en munitiegordels. Net *Lawrence of Arabia*. Ook toen hij eenmaal begreep dat het echt was, kon hij er nauwelijks mee zitten. Hij keek het allemaal rustig aan en begreep met grote helderheid: dat is het dan, die lui komen ons beroven en vermoorden. Pech gehad, niets aan te doen. Verder stond hij er als een geïnteresseerde toeschouwer tegenover, benieuwd hoe het af zou lopen.

Ook de anderen zagen het gevaar. Van alle kanten stoven de Afghaanse bandieten op hen af, ze konden geen kant op. De kale, rotsachtige vlakte bood geen enkele schuilplaats en de buschauffeur, die misschien nog had kunnen bemiddelen, was nergens te bekennen. Hier, langs de kant van een stoffige weg in een afgelegen Afghaanse provincie, eindigde hun avontuur.

Dat viel mee. Eenmaal tot stilstand gekomen en afgestapt, bleken de ruiters tot de plaatselijke middenstand te behoren. Bussen met toeristen stopten regelmatig op diezelfde plek en dorpelingen uit de buurt kenden de dienstregeling. Te paard kwamen ze hun waren aanbieden: middelmatige hasj, mottige kleden en versleten zilveren munten. Laatste kans op een souvenir uit Afghanistan. Waarschijnlijk uit opluchting werd er flink gekocht.

Mark was volkomen bij toeval in Afghanistan beland. Met het geld van twee maanden druiveplukken in Zuid-Frankrijk op zak, stapte hij in Parijs spontaan op de Magic Bus richting India. Niet uit interesse in het mysterieuze Verre Oosten, maar omdat zijn toekomstige medereizigers er zo veelbelovend verlopen uitzagen. De optie van een tussenstop in Afghanistan greep hij aan als een kans om zijn benen te strekken. Van het land wist hij niets, behalve dat de stad Mazar-i-Sharif, in het noorden, de reputatie had de beste hasj ter wereld te produceren. Nu hij toch in de buurt was wilde hij persoonlijk nagaan of dat klopte.

Hij nam zijn intrek in Hotel Bristol, ondanks de fraaie naam niet meer dan een verwaarloosd huis met een paar kamers met matrassen op de vloer. Mark was de enige gast. Hij kreeg de sleutel en werd verder aan zijn lot overgelaten. Ontbijt kon hij krijgen in het koffiehuis aan de overkant van de straat.

Daar werd hij meteen de eerste ochtend aangesproken door een oudere man die zichzelf voorstelde als Messoud Sjah. Hij sprak nauwelijks Engels, maar wel uitstekend Frans op een ouderwetse en plechtstatige manier, passend bij zijn verschijning. Zoals alle Afghanen informeerde hij eerst naar Marks religieuze overtuiging en bood hem vervolgens in één adem een kilo hasj te koop aan. Mark antwoordde zo beleefd mogelijk dat hij genoeg te roken had en niet godsdienstig was.

'Waarschijnlijk is niet-geloven te verkiezen boven een valse religie,' reageerde Messoud na even te hebben nagedacht, 'het verkort de weg naar de waarheid.'

Hij beweerde verder dat de hasj die hij te koop had zonder twijfel van een geheel andere orde was dan het spul dat Mark tot nu toe had gerookt en beloofde een kleine hoeveelheid mee te brengen. Mark protesteerde, maar Messoud wuifde zijn bezwaren weg: 'Een klein geschenk, mijn vriend, een monster zoals u dat zou noemen. Om uit te proberen, geen verplichtingen.'

De dag daarop bracht hij een stuk pikzwarte, boterzachte hasj: 'Dit is Tweede Kwaliteit, de beste commercieel verkrijgbare soort en de hoogste kwaliteit voor de export. Rook in vrede en mocht u geïnteresseerd zijn dan zal de prijs geen beletsel vormen.'

Hij noemde een prijs die inderdaad meer dan redelijk klonk, maar Mark had geen belangstelling. Hij wilde zijn reis vervolgen naar India en Nepal, waar genoeg goede hasj te krijgen was.

Voor Messoud leek daarmee het onderwerp afgedaan, hij bracht het gesprek weer op religie. 'Iedere man wordt geboren en moet weer sterven,' begon hij, 'dienen wij ons niet af te vragen: waarom?'

Mark haalde zijn schouders op en probeerde de conversatie naar veiliger vaarwater te sturen door Messoud te vragen hoe het nu precies zat met dat verbod op dronkenschap.

'Daar is de Profeet heel duidelijk over, alcohol is voor de gelovigen verboden.'

'En hasj?' wilde Mark weten.

'Daarover zijn de schriftgeleerden het niet eens, maar in mijn land nemen we aan dat de Profeet daar geen bezwaar tegen had.'

Voorzichtig informeerde Mark of Messoud zelf als gelovig moslim wel eens alcohol had gedronken.

'In mijn jonge jaren ben ik meerdere keren voor de verleiding bezweken,' gaf die toe. 'Ik heb me bij die gelegenheden belachelijk gemaakt en de volgende dag had ik hoofdpijn.'

'Dat wordt dus de hel als ik het goed begrijp?'

'Allah is groot. Hij ziet en begrijpt alles, ik hoop en vertrouw dat hij een tot inkeer gekomen oude man zijn jeugdige dwaasheid zal vergeven.'

Ook bij de volgende ontmoeting draaide het gesprek om hasj en religie. Messoud wilde weten wat Mark van het monster vond en of hij wellicht het boeddhisme aanhing. De laatste tijd reisden er veel westerse jongeren door het land die zichzelf boeddhist noemden. De kwaliteit van de hasj stond als een paal boven water, verzekerde Mark hem, maar hij had er geen bestemming voor. Boeddhisme vond hij een interessante filosofie zonder direct aanhanger te zijn.

Marks gebrek aan belangstelling werd door zijn nieuwe Afghaanse vriend opgevat als een slimme en respectabele onderhandelingsstrategie. De prijs zakte iedere dag verder en bereikte een punt waarop het moreel laakbaar zou zijn om niets te kopen. Na enkele dagen verzet schafte Mark voor een symbolisch bedrag vijf kilo uitstekende Afghaanse hasj aan.

'Als dit Tweede Kwaliteit is,' wilde hij weten, 'wat is dan wel de eerste kwaliteit?'

Messoud legde uit dat de Eerste Kwaliteit uiterst zeldzaam was en werd verkregen door mannen in speciale leren pakken door de bloeiende hennepvelden te laten lopen. De fijnste harskristallen bleven aan het leer kleven en leverden de hoogste kwaliteit hasj op. Bedoeld voor eigen gebruik en buiten Afghanistan niet te vinden.

'Wilt u om onze overeenkomst te bezegelen kennismaken met deze hasj?' vroeg Messoud.

'Is de woestijnreiziger dorstig? Verlangt de zeeman naar de haven?'

'U spreekt in scherts, mijn jonge vriend, maar met de woorden van een dichter. Weet dat mijn landgenoten in hun hart allen dichters zijn.'

'Dichters met geweren?'

'Het is een gevaarlijke wereld, een man moet zich kunnen verdedigen. Ik ontmoet u hier na de avondmaaltijd, dan delen wij een pijp.'

Bij eerste inspectie leek de hasj niet indrukwekkend, lichter van kleur en structuur dan gebruikelijk en zonder de typerende, sterke geur van Afghaanse hasj. Messoud vulde de kop van de waterpijp met een kleine hoeveelheid en schikte de gloeiende kooltjes eromheen. Om de beurt rookten ze. Mark voelde direct een lichte high. Prettig maar niet spectaculair. Bijzonder prettig eigenlijk. De lampen wierpen langwerpige schaduwen die hij graag uitgebreid wilde bestuderen, maar dat zou onbeleefd zijn tegenover Messoud die tegen hem zat te praten. Tenminste, hij zag de woorden uit zijn mond komen maar kon niets verstaan. Ja logisch, hij sprak geen Afghaans. Hallo, geen woord Afghaans zelfs. Wel een beetje Latijn: *Afghanistan est omnis divisa in partes tres.* Wat lulde hij nou? Geen gewone hasj. Het raam kantelde en keek door het raam naar binnen. Hallo raam. *Ave fenestra*, niks aan de hand, alles onder controle.

'Beste Messoud, even een luchtje scheppen, even naar buiten. Nee, prima in orde, prima in orde, beetje licht in het hoofd, dat is alles.'

Daar scheen dan de maan, sikkelmaan, echte moslimmaan. De straat golfde onder zijn voeten. Dat kwam natuurlijk door zijn gympen, de dikke rubberzolen veerden bij ieder stap. Zie je wel, hij was nog bij de tijd. Hij suisde en zweefde door de straat, maar wel degelijk bij de tijd. Daar zag hij zichzelf lopen, wankelen, tegen een muur leunen. Ga toch zitten jongen, rust even uit.

Op een of andere manier lukte het hem zijn kamer te bereiken. Liggend op de matras keek hij naar de scheuren in het plafond. Daar stonden alle geheimen van het universum gegraveerd. Met voldoende concentratie kon hij de code ontcijferen, als hij tenminste niet in slaap viel...

De volgende ochtend werd hij fris en uitgerust wakker en realiseerde hij zich dat hij met vijf kilo hasj in zijn maag zat. Meenemen naar India was uitgesloten. Reizigers smokkelden vaak kleine hoeveelheden in speciaal geprepareerde schoenen, maar daar kon hooguit een kilo in. Mark zag zichzelf niet maanden rondslepen met vijf paar schoenen en als hij in Kabul probeerde het spul aan andere toeristen te verkopen, kreeg hij gegarandeerd problemen met plaatselijke dealers.

De dag voordat hij weer op de Magic Bus stapte, verdeelde hij de hasj in vijf stukken van een kilo en perste die ieder, in plastic verpakt, tussen twee stukken karton. Omwikkeld met dik pakpapier, kregen ze min of meer de vorm van boeken. Zonder afzender en geadresseerd aan zichzelf op het adres van zijn ouders, bracht hij de vijf pakketten naar het postkantoor. Hij liet ze van voldoende postzegels voorzien en zag erop toe dat ze gestempeld werden. Die hasj zag hij waarschijnlijk nooit meer terug.

Drie maanden later keerde hij terug in Nederland, sterk vermagerd en met een levenslange afkeer van oosterse wijsheid. In zijn ouderlijk huis lag de post van de laatste maanden op hem te wachten, waaronder vier pakjes in bruin papier met exotische postzegels.

'Uit Afghanistan geloof ik,' zei zijn vader, 'boeken lijkt het, ik heb ze maar niet opengemaakt.'

'Dat had best gemogen,' antwoordde Mark, 'maar ik had er eigenlijk vijf verwacht.'

'Dien een klacht in bij de posterijen,' zei zijn vader.

Daar zag hij vanaf.

Behalve met fraaie verhalen kwam Mark met een voorstel: zou ik die Afghaanse hasj niet voor hem kunnen verkopen? Hij had geen contacten in de business en wilde dat graag zo houden. Als toekomstig jurist kon hij zich geen strafblad veroorloven. Tegelijkertijd was hij wel de gelukkige bezitter van vier kilo Afghaanse hasj van uitzonderlijke kwaliteit die hij graag te gelde wilde maken.

Goede raad is altijd duur en kostte in dit geval de helft van de opbrengst. Daar kon hij na enige aarzeling mee leven. Vier kilo was te veel voor mijn eigen vaste leverancier, maar voor een kleine commissie toonde die zich bereid mij in contact te brengen met een geïnteresseerde partij. Na enige onderhandelingen maakte hij een afspraak in zijn kantoor.

Daar wachtten twee zwaargebouwde mannen op mij, totaal andere figuren dan de hippie-achtige types met wie ik vaak te maken kreeg. De grootste van de twee, gekleed in een halflange leren motorjas, stond met de rug naar me toe in het Engels te schelden aan de telefoon. De ander, voorzien van een paardestaart en een dikke gouden ketting met davidsster, droeg een singlet waarin zijn getatoeëerde biceps goed uitkwamen. Hij zat lui in een stoel een stripboek te lezen. Met zichtbare tegenzin legde hij zijn lectuur weg en stond op.

'*Please allow me to introduce myself, I'm a man of wealth and taste*,' declameerde hij, 'wat is hierop uw antwoord?'

Ik waagde de gok: '*Just as every cop is a criminal and all the sinners saints.*'

'Correct man, in één keer goed, we kunnen praten. Ik ben David en zonnestraaltje daar is mijn maat Ray. Je had iets te verkopen geloof ik?'

Het was mijn kennismaking met de jongens.

3

Bijna acht jaar later staren twee geüniformeerde portiers boven aan de half ondergelopen trappen van het Bangkok Sheraton ongelovig naar de kano die aanlegt aan hun voeten. Ze blijven onbeweeglijk staan. Het beleefd helpen van een *farang* uit een uitgeholde boomstam behoort blijkbaar niet tot hun taak. Ik spring aan wal, kijk op mijn horloge en ren door de lobby naar de liften. Nog vijf minuten.

Op de kamer neem ik een snelle douche en verkleed me. Ik fatsoeneer mijn haar en bestudeer het spiegelbeeld. Kon slechter, wallen onder de ogen, maar niet erger dan kan worden toegeschreven aan een gewoon nachtje uit. Ik graai mijn spullen bij elkaar en ga snel naar de wc. Plassen is pijnlijk, alles is rauw en gevoelig van de marathonvrijage van afgelopen nacht. De boxspring raak ik niet aan, het geld mag daar rustig blijven liggen tot nadere instructies. Het wachten op de lift naar beneden duurt eindeloos. Via een zij-uitgang verlaat ik het hotel.

Het water heeft het hoger gelegen voetpad naar de Britse Club niet bereikt. Een wit gestuukte muur omringt de exclusieve club, in de deuropening staan gewapende bewakers. Ze besteden geen aandacht aan mij en ik loop door naar de bar om een gin-tonic te bestellen. Tien over één geeft de klok boven de bar aan. Gelukkig zijn de jongens zelf ook te laat. De eerste cocktail smaakt naar meer. Met een tweede G&T leun ik achterover en bekijk de bezoekers.

Een groep stewardessen zit te kwetteren aan de bar. Ze zien er niet slecht uit, slank van het voortdurend diëten en voorzien van dure Italiaanse zonnebrillen, rood gemanicuurde nagels en perfecte kapsels. Smaakvol uitgestalde luxe producten, maar geen partij voor de Thai meisjes. Hun conversatie gaat voornamelijk over hun mannelijke collega's.

'De hele vlucht zitten die kerels achter je kont aan en nu zijn ze opeens allemaal verdwenen,' klaagt een van hen.

Dat kan je ze moeilijk kwalijk nemen, lijkt mij.

'En dan denken ze ook nog dat die barmeiden echt om ze geven,' zegt een ander.

'Hun portefeuille, daar geven ze om,' meent de eerste, 'een bakje rijst zou voldoende moeten zijn voor die boerentrutten.'

Het gesprek gaat verder over de jonge tandarts met wie een van de dames een gepassioneerde relatie onderhoudt. Een sportieve jongen die een klassieke Aston Martin bezit.

'Zelfs als hij niet zo knap was, zou ik met hem naar bed gaan, alleen al voor die auto,' zegt zijn vriendin.

Haar collega's lachen en knikken enthousiast.

Drie naderende figuren verstoren mijn observaties. Het is de jongens niet gelukt zich onopvallend te mengen onder de elegante menigte diplomaten, zakenlieden en sociale klimmers van de Britse Club. Hun Gucci-tenniskleding kan de dikke nekken, tatoeages en gouden kettingen niet verhullen. David heeft zoals altijd een stapel tijdschriften onder zijn arm en Ray sleept zelfs een tennisracket met zich mee.

'Très sportif,' zeg ik als ze voor me staan.

'Niet slecht toch,' antwoordt Ray.

De derde man is iets ouder, een stuk slanker en onopvallend gekleed in een los wit shirt, verschoten jeans en sandalen. Een kruising tussen een oude hippie en een straatvechter met lachende ogen. Op zijn rechterarm staat een tattoo van een dolk met de tekst *Death before Dishonor*. Hij heeft halflang grijsblond haar, een dunne boevensnor en een vet Australisch accent. De jongens behandelen hem met opvallend respect. Dit moet de man zijn voor wie ik ben gekomen. Hij steekt zijn hand uit.

'Joe Smith,' zegt hij, 'veel over je gehoord, blij je eindelijk te ontmoeten.'

'John Brown,' antwoord ik, 'ook aangenaam.'

Hij grinnikt.

'Toch moeten er miljoenen mensen rondlopen die echt zo heten, waarom zouden we anders al die moeite doen. Eigenlijk is het triest als je erover nadenkt, het eerste wat je tegen iemand zegt bij kennismaking is altijd een leugen.'

Ik kijk hem verbaasd aan. Dit zijn geen gebruikelijke praatjes in onze handel.

'Dus?' vraag ik

'Joe Smith,' zegt hij, 'aangenaam, je kunt me ook Mick noemen, dat komt dicht genoeg in de buurt.'

'John Brown,' antwoord ik, 'Paul voor vrienden, veel over je gehoord, blij je eindelijk te ontmoeten.'

Hij lacht weer.

'Dit zou wel eens het begin kunnen zijn van een mooie vriendschap,' zegt hij, 'en nu we de formaliteiten hebben afgewikkeld moeten we praten. Niet hier, te veel imbecielen en spionnen. We hebben de plek alleen maar gekozen omdat het Sheraton nog veel erger is. Neem een ander hotel de volgende keer. We gaan naar mijn huis.'

Het is gestopt met regenen en op de parkeerplaats van de Britse Club staat een glanzend groene Citroën DS Pallas te wachten. De Stad der Engelen vormt een passende omgeving voor een godin. De ramen zijn donker, eventuele inzittenden onzichtbaar. Een korte, brede Thai met een reflecterende zonnebril staat naast de auto te wachten en opent snel het achterportier als wij aan komen lopen. Mick stelt hem voor: 'Mijn steun en toeverlaat Khun Tawee Trairatvorakul. CallmeTony voor vrienden, dat wil zeggen voor *farang* die zijn naam niet kunnen onthouden.'

'CallmeTony,' zegt de Thai.

Mick kondigt aan zelf te willen rijden en CallmeTony opent de deur aan de chauffeurskant. Ray gaat op de passagiersstoel zitten, David, de Thai en ik kruipen achterin. Aan de binnenkant is de Citroën ruim en gerieflijk, de stoelen zijn bekleed met zacht leer. Mick start, de hydropneumatische vering sist, de auto komt omhoog.

'Ik wist niet dat je dit soort wagens kon krijgen in Azië,' merk ik op.

'Wel als je de juiste contacten hebt,' antwoordt Mick. 'Deze komt uit Vietnam, veel partijbonzen hadden er een, maar nu willen ze modern. We hebben een paar Corsicaanse vrienden in Saigon die ze opkopen.'

'Zijn ze allemaal zo mooi?'

'Als wij ermee klaar zijn wel, arbeid kost niks hier en David doet de supervisie.'

David kijkt even op van zijn tijdschrift.

'We hebben er een zescilinder Maseratimotor in laten zetten,' bevestigt hij, 'en een dubbele carburateur. Loopt als een trein, beter dan toen hij uit de fabriek kwam.'

Een Nakamichi-cassetterecorder is verzonken in het dashboard en aangesloten op vier Bose-luidsprekers. Mick duwt een cassette van Dire Straits in de gleuf terwijl hij de Citroën soepel Suriwong Road laat opdraaien. *She ain't no English rose...* Het geluid is beter dan van mijn stereo-installatie. Ongestoord door geluiden van buiten zweven we door het drukke verkeer.

CallmeTony pakt van onder de chauffeursstoel een zilveren dienblad en een fraai gesneden kistje van teakhout. Uit het kistje haalt hij twee roestkleurige thaisticks, vloeitjes en een aansteker. Met het blad op zijn knieën begint hij snel en handig twee grote joints te draaien. Hij steekt ze tegelijkertijd aan en geeft er een aan mij, de andere verdwijnt naar voren. Dit is het betere werk merk ik direct, beter nog dan de *ganja* van Nois vriendinnen. Ik vertel over de joint waarvan ik uren beroerd ben geweest.

'Niks met de Sovjets te maken,' zegt Mick, 'gewoon de verkeerde tijd van het jaar. De betere kwaliteit is allemaal al weg of ligt vacuümverpakt te wachten op export. Wat je nu nog op straat vindt is zo waardeloos, dat ze het mengen met de korsten die achterblijven in de vaten waarin heroïne wordt gekookt.'

Dat verklaart veel. Ray draait zich om.

'Nee hè, is het weer zover. Man, ze zouden jou niet onbegeleid moeten laten rondlopen. Kon je niet even op ons wachten. Een dezer dagen bezeer je jezelf.'

Om van onderwerp te veranderen wijs ik op CallmeTony.

'Zo'n knaap kan ik thuis ook wel gebruiken,' zeg ik, 'iemand die je de hele dag rondrijdt en joints voor je draait, niet gek.'

Mick kijkt naar me via het spiegeltje.

'Oh, hij kan nog veel meer.'

'Zoals wat?'

'Van alles, hij is onze enige echte troubleshooter.'

De Thai trekt even zijn wijdvallende shirt omhoog en klopt op de lelijke, zwarte kolf van het legermodel Colt 45 dat uit zijn broeksband steekt. Hij glimlacht, ik glimlach terug, iedereen glimlacht.

Om de overstromingen te vermijden moeten we een lange omweg maken. Het verkeer staat bumper aan bumper en de stem van Mark Knopfler schalt uit de luidsprekers.

Terwijl we langs het Lumpini Stadion rijden breekt de zon door. Witte stoomwolken komen van het natte asfalt. We rijden door buurten die ik niet ken en bereiken een buitenwijk waar kippen en varkens rondscharrelen. De vegetatie is dik en tropisch. Voor een metalen hek stoppen we. Het is de enige opening in een hoge witte muur met gemene glasscherven bovenop, half verscholen achter bamboe. Mick toetert drie keer en bijna direct zwaait het hek open, bediend door twee forse en vrijwel identieke Thai. Als een van hen vooroverbuigt zie ik een glimp van alweer een zware revolver.

Dat zijn nu al twee vuurwapens binnen een uur, een hoger gemiddelde dan ik gewend ben. Van de jongens heb ik begrepen dat Mick oorspronkelijk uit een uiterst gewelddadig milieu afkomstig is, maar zich tegenwoordig prettig voelt in de toch wat vriendelijker wereld van de cannabissmokkel. Dat wil niet zeggen dat hij al zijn oude gewoonten heeft opgegeven.

We stappen uit aan het einde van de oprijlaan. Het erf is zeker een hectare groot en bestaat uit een tropische tuin met palmbomen, bloembedden en keurig onderhouden paden. In het midden staat een teakhouten huis van twee verdiepingen. Aan twee kanten van het huis zijn brede overdekte terrassen, even verderop een tennisbaan en een zwembad van olympisch formaat met een verzonken bar in het midden. Op het terracotta terras ernaast liggen een stuk of vijftien beeldschone Thai meisjes in bikini.

Het grijze wolkendek trekt open en felle zonnestralen laten de vegetatie glanzen. De zon kookt de natte aarde en de vochtigheidsgraad stijgt tot tegen de honderd procent.

'Als je zin hebt in een duik...' zegt Mick met een gebaar naar het zwembad.

'Geen zwembroek bij me.'

'Wat je wilt, met of zonder, er ligt genoeg badkleding binnen.'

Ik kijk even naar de meisjes. Mick volgt mijn blik.

'Maak je over die meiden geen zorgen, jij hebt echt niets wat ze niet al duizend keer hebben gezien.'

Ray mengt zich in het gesprek: 'Ze komen uit de Pink Panther, Micks gogobar in Patpong.'

Hij schopt zijn tennisschoenen uit, werpt zijn kleren van zich af, neemt een korte sprint en zweeft een moment boven het water, zijn knieën opgetrokken tot zijn borst. Het schouwspel van zijn getatoeëerde witte billen, vliegend door de lucht, is aanleiding tot hilariteit bij de meiden op het terras. Als Rays zware lichaam met een dreun het water raakt veroorzaakt hij een fontein die iedereen in de wijde omgeving doorweekt.

'Subtiliteit was nooit Rays sterkste punt,' zegt David, die nu ook zijn kleren uittrekt.

Hij controleert of zijn paardestaart goed vastzit, neemt een aanloop en verdwijnt met een indrukwekkende zweefduik het zwembad in. Mick en ik staan nog wat te praten totdat Ray ons onderbreekt.

'Sta daar niet als een fles lauwe pis,' roept hij, 'zwemmen is gezond.'

Hij maakt een eendeduik, de getatoeëerde ogen op zijn billen staren ons aan en veroorzaken opnieuw hilariteit.

Wat bedeesd kleed ik mij uit en loop naar het zwembad. De meisjes bekijken kritisch mijn lichaam en geven uitvoerig commentaar. Ik zou toch eens Thai moeten leren. Met een hopelijk fraaie duik spring ik het bad in en zwem een paar baantjes. Het water is koel en verfrissend. Dan laat ik mij rustig op de rug drijven en bekijk het paradijselijke tafereel.

'Wat zouden arme mensen zoal doen de hele dag,' vraag ik me hardop af.

'Dat interesseert toch geen hond,' reageert Ray terwijl hij uitgebreid aan zijn buik en zijn kalende hoofd krabt.

Mick komt uit het huis en voegt zich bij ons. Hij draagt een keurige blauwe Speedo en heeft een cocktail in zijn hand.

'Ik dacht dat zwembroeken overbodig waren,' merk ik op.

'Vrijheid blijheid, jongens,' antwoordt Mick met een grijns, 'ik kan het ook niet helpen dat sommige mensen zich als varkens wensen te gedragen.'

Enkele meisjes hangen rond aan de ondiepe kant van het zwembad. Het duurt niet lang voordat Ray een van hen van achter weet te besluipen en haar bikinibroekje naar beneden trekt. De meisjes gillen. Ook de anderen gaan voor de bijl en snel zijn ze allemaal naakt. Aan alle kanten ben ik omringd door zachte, bruine huid, perfecte borsten en ronde billen, allemaal glanzend in de zon. De meiden gillen terwijl de jongens doorgaan met hun terreuracties.

'Waarom dacht je dat ik nooit meer naar huis ga,' zegt Mick. 'Vorig jaar ben ik even naar binnen geglipt op een vals paspoort, helemaal opgewonden omdat ik zo lang weg was geweest. Dat viel zwaar tegen. Mijn oude maten namen me mee naar een paar feesten, maar het was niet meer hetzelfde. Alleen maar trendy figuren die druk bezig waren met zichzelf, nee, ik ga niet meer terug.'

Die oude maten waar hij het over heeft, zo wisten de jongens te vertellen, behoren tot de meest gevreesde gangsters van Australië, keiharde penoze van de oude stempel. Behalve met zijn vaste afnemer onderhoudt Mick weinig contact meer, maar hun aanwezigheid op de achtergrond zorgt ervoor dat niemand in het wereldje het in zijn hoofd haalt hem te belazeren.

Ik vraag hem hoe hij dit plekje heeft gevonden. Dat viel niet mee, vertelt hij. Het centrum van de stad is onleefbaar, maar voor zaken moet hij er niet te ver vandaan zitten. Maandenlang heeft hij zich laten rondrijden om de ideale locatie te vinden. Vervolgens was er het probleem dat buitenlanders in Thailand geen land mogen bezitten. Dit stuk grond is geleased voor drie keer dertig jaar, dat zou genoeg moeten zijn. Het teakhuis stond er nog niet, dat komt uit Chiang Mai in het noorden. Het is daar ter plekke gedemonteerd en hier weer in elkaar gezet.

Dat leverde een onverwacht probleem op want vlakbij bevindt zich een grote boeddhistische tempel. Het is in Thailand niet toegestaan binnen honderd meter van een tempel een huis te bouwen dat daarboven uitsteekt. Mick ging met de abt praten. Dat bleek een beschaafde oudere heer die uitstekend Engels sprak en niet bijzonder hechtte aan regels en formaliteiten.

'Regels,' doceerde hij, 'geven de noodzakelijke illusie van structuur en maken het leven overzichtelijk. Men zou kunnen zeggen dat een mens pas vrij is als hij geen andere mensen, maar slechts regels hoeft te gehoorzamen. We moeten echter niet de vergissing maken regels en wetten als absoluut te beschouwen. Zij zijn als de rest van de vliedende wereld: tijdelijk, incompleet en onvolmaakt. Regels kunnen worden aangepast aan redelijke verlangens.'

'In dat geval, eerwaarde,' reageerde Mick, 'wat is de prijs van tijdelijkheid?'

De abt glimlachte en vertelde dat ook voor tempels de tijden zwaar waren. Niet iedereen respecteerde de tempeleigendommen en regelmatig kregen ze te maken met diefstal. Het beste zou zijn een flinke muur om het complex te bouwen. Indien nu iemand de kosten van een dergelijk project op zich nam, dan was het niet meer dan redelijk dat die persoon mee kon beslissen over loop en locatie van de muur. Eventuele problemen betreffende andere gebouwen in de buurt konden aldus worden vermeden en het project leverde bovendien veel positief karma op, een klassieke win-winsituatie.

Mick verbleef al lang genoeg in het land om te weten dat alle interacties met Thai in principe economisch van aard zijn.

Het klooster kreeg zijn muur, Mick kreeg zijn huis.

Een dienstmeisje in een zwarte sarong en een wit shirt brengt een stapel gevouwen handdoeken en vraagt iets aan Mick.

'Wat willen jullie drinken, jongens,' vertaalt hij.

'Singha,' zegt Ray.

'Singha,' zegt David.

'Gin-tonic,' zeg ik.

Het dienstmeisje verdwijnt in het huis en komt even later terug met een dienblad vol glazen en flessen. Ik klim uit het zwembad, sla een handdoek om mijn middel, maar doe geen moeite mij af te drogen. Ook David en Ray komen uit het water, David droogt zich af en slaat een handdoek om, Ray grijpt meteen een fles Singha van het dienblad en giet die in één keer naar binnen, terwijl hij spiernaakt staat te druipen op het terras. Zijn hele lichaam is van onder tot boven bedekt met tatoeages. Vlak boven zijn penis is de tekst *All yours* aangebracht.

'Sta niet zo met dat ding in ons gezicht te zwaaien,' zegt Mick, 'we proberen hier rustig een drankje te drinken.'

'Kennen jullie die mop over de man die de naam van zijn vriendin op zijn lul had laten tatoeëren?' vraag ik.

De anderen schudden ontkennend het hoofd, maar lijken niet erg enthousiast het verhaal te horen.

'De vriendin heette Wendy,' ga ik door, 'en dat stond dus op die vent zijn lul, maar dat was alleen zichtbaar als hij een erectie had. In slappe toestand kon je alleen de letters W en Y zien. Goed, die kerel staat een keer te pissen in een publieke plee en naast hem staat een gekleurde medeburger hetzelfde te doen. Hij loert een beetje opzij en ziet tot zijn verbazing dat op de familiejuwelen van zijn buurman ook de letters W en Y staan.

"Goh," vraagt hij nieuwsgierig, "heet jouw vriendin soms ook Wendy?"

"Nee man," antwoordt die neger, "daar staat *Welcome to Jamaica, and have a nice day*." '

46

Niemand rolt over het terras van het lachen. Ray springt weer met veel geweld in het zwembad. Te laat doen we een stap naar achter.

'Imbeciel,' roept Mick hem toe, terwijl hij chloorwater uit zijn gezicht veegt.

Er zijn niet veel mensen die zoiets tegen Ray kunnen of durven zeggen, maar hij reageert niet eens. Het is toch al ongewoon hem zo dwaas bezig te zien.

Vanuit het huis komen nu twee mannelijke bedienden. Ze dragen bladen met voedsel: garnalen met knoflook en peper, kip in groene kerrie, Somtam, een pittige salade van onrijpe papaja en verder zachte krab met basilicum en chili, gebakken noedels, geparfumeerde rijst, mango, ananas, banaan.

De meisjes hebben intussen hun bikini's weer aangetrokken, zich afgedroogd en hun haren gekamd. Ze dienen het eten op. Er is geen bestek en ik krijg niet de kans mijn vingers vet te maken. Twee meisjes zitten naast me en voeren me als een kind. Mick geeft er de voorkeur aan eigenhandig te eten. David wordt bediend door twee schoonheden. De een stopt hapjes in zijn mond terwijl de ander probeert zijn haar te vlechten. Ray heeft er drie om zich heen, passend bij zijn testosterongehalte.

Logisch dat Mick geen enkele behoefte heeft terug naar huis te gaan. Hier heeft hij de zaken goed voor elkaar. In het noorden van het land leaset hij grote stukken land, officieel voor agrarische doeleinden, en kweekt daar onder toeziend oog van de plaatselijke autoriteiten op grote schaal hennep. Hij past wetenschappelijk verantwoorde landbouwmethoden toe, heeft opslag en vervoer gemoderniseerd en beweert hoogstpersoonlijk de vacuümverpakkingsmachine in Thailand te hebben geïntroduceerd. Het komt erop neer dat hij zijn eigen marihuana verbouwt en exporteert onder bescherming van de overheid, althans een deel van de overheid. Pas als je weer trek krijgt in *fish and chips*, vindt hij, ben je echt te lang in Thailand geweest. Ik eet nog wat Somtam met gebakken garnalen en ben het van harte met hem eens.

De rest van de middag hangen we rond op het terras, verwend door de meiden van de Pink Panther die drankjes aandragen, glazen vullen en joints draaien. Wie beneveld dreigt te raken, sleept zich naar het zwembad. Een paar minuten in het koele water is voldoende om weer bij de les te raken.

Mick beschrijft een bokswedstrijd die hij onlangs heeft gezien. Hij illustreert zijn betoog met een serie snelle stoten en combinaties. Voor het eerst zie ik de kleine afbeelding van een bokshandschoen op de muis van zijn linkerhand.

'Heb je vroeger in de ring gestaan?' vraag ik.

'In de ring gestaan?' reageert Ray in zijn plaats. 'Weet je wel wie je voor je hebt, dit is Mick de Bokser, Fighting Mick, in eigen persoon.'

Hij begon zijn carrière als kermisbokser. In Australië moet je dan echt kunnen knokken, het is niet vooraf geregeld daar. In de jaren vijftig is hij nog bijna kampioen van het Gemenebest geworden. Jaren vijftig? Toen was hij een tiener. Ray raadt mijn gedachten.

'Hoe oud denk je dat Mick is?'

'Weet ik veel. Begin veertig?'

'Een man naar mijn hart,' zegt Mick de Bokser en geeft in slowmotion een linkerhoek in de richting van mijn rechterkaak.

Volgens de regelen der kunst duik ik onder de stoot door en counter met een rechtse directe, alles in slowmotion. Hij houdt zijn rechterhand op voor een high five. Begin volgend jaar hoopt hij vijfenvijftig te worden, zegt hij, dus voor ons jonkies is nog hoop. Vijfenvijftig, als ik dat op die manier haal, dan hoor je mij niet klagen.

Langzamerhand begin ik me af te vragen waarom deze afspraak zo belangrijk was. Mick ontmoeten, eten, drinken en high worden, allemaal heel plezierige bezigheden en op ieder ander moment zou je geweld moeten gebruiken om me hier weg te krijgen. Het rechtvaardigt alleen nauwelijks de nadruk die de jongens steeds op het belang van deze ontmoeting hebben gelegd.

Vroeg of laat moeten we praten. Over de exacte opzet van de operatie, over de taakverdeling, over geld. Is het de bedoeling dat Mick zich eerst een oordeel over me kan vormen of worden er straks zaken gedaan? Wat het ook is, ik hoop dat ze een beetje opschieten. Noi verwacht me om acht uur in de Roxy. Dwaas, denk ik, hier zit je, omringd door meer dan tien perfecte, halfnaakte schoonheden en je kunt alleen denken aan haar. Ik zie haar voor me, zwaaiend met de boodschappentas, de heupen glooiend onder de rode sarong, het lange, zwarte haar glanzend in het ochtendlicht en een glimp van een gebroken tand als ze lacht of spreekt.

Later verdwijnen David en Ray in het huis met ieder een paar meisjes aan de arm. Ik sla de uitnodiging af, maar stem toe in een massage. Terwijl zachte handen mijn rug insmeren met olie denk ik aan de handen van Noi op mijn schouders. Ik moet volkomen gestoord zijn. Dit meisje is mooier en jonger, maar het doet er niet toe. Haar aanrakingen winden me niet op. Dit is belachelijk, welgeteld één nacht heb ik met Noi doorgebracht, één engel tussen de duizenden in de Stad der Engelen. Wat als ze me niet heeft geloofd toen ik beloofde haar te komen halen, wat als ik straks te laat ben voor de afspraak, wat als ik in de Roxy aankom en ze is op stap met een andere *farang*. Vooral de laatste gedachte is onverdraaglijk. De afgelopen vierentwintig uur is mijn gezond verstand op een of andere manier in staking gegaan. Het enige wat ik kan doen is op mijn horloge kijken en hopen dat mijn maatjes een beetje opschieten.

Het licht van de late middag valt schuin door de bamboe op het gazon en laat het water in het zwembad schitteren. De weerspiegeling danst over het huis, dat nu bijna oranje kleurt. De grijze wolkenlucht is gebroken en vervangen door torenhoge stapelwolken, verblindend wit en onbeweeglijk afstekend tegen de blauwgele hemel. Een koor lawaaierige cicaden kondigt het einde van de dag aan.

49

Ray komt het huis uit, gekleed in een badjas die te klein en veel te stijlvol is om van hem te zijn. Hij krabt aan zijn kruis, gaapt en rekt zich uit.

'Hé Ray, wanneer gaan we terug naar Bangkok?' vraag ik.

'Waarom zo'n haast, je hebt hier toch alles wat je wilt, of niet soms?'

'Ja, ja, het kan niet beter, maar ik heb iets te doen.'

'Zoals wat?' vraagt Ray, plotseling geïnteresseerd, 'je kent daar geen mens...'

Hij stopt in het midden van de zin.

'Je gaat me toch niet vertellen dat je een afspraakje met een barmeid hebt?'

Hij bestudeert mijn gezicht.

'Niet te geloven, die jongen heeft hier de mooiste meiden van Bangkok voor het oprapen en gaat zitten kniezen over eentje die hij heeft opgepikt in een derderangs tent op Patpong. Je bent een geval apart jij. Ze moesten je onder curatele stellen, dat heb ik al eens eerder gezegd en ik blijf erbij.'

Ik weet niets te zeggen, Ray drukt nog even door.

'Man, jij valt als de eerste de beste sukkel voor de eerste de beste griet in de eerste de beste gogobar in deze miljoenenstad. Ze heeft vast een bril met glazen zo dik als jampotjes, en ze neemt je mee op excursies naar boeddhistische tempels en vlinderboerderijen.'

Hij denkt even na en lacht.

'Shit, verliefd op de enige meid in heel Bangkok met een bril.'

'Ze draagt geen bril,' mompel ik zachtjes.

'Zie je wel, ik wist het,' roept hij triomfantelijk, 'hij ziet een rok en is verkocht.'

'Eigenlijk was het een sarong.'

'Wat het ook is, vergeet het maar. Mick heeft een klusje voor je vannacht.'

Hij maakt geen grapjes nu. Mick wil dat ik vannacht nog geld ga afleveren bij een of andere kolonel helemaal in Pattaya, ruim honderd kilometer ten oosten van Bangkok. Dus dat was zo belangrijk. Normaal gesproken een kolfje naar mijn hand, zo'n reisje. Maar de timing is helemaal verkeerd. Ik heb Noi beloofd te komen. Die afspraak kan ik niet missen.

Ray staat intussen te vertellen hoe het zit met die kolonel. Het grootste deel van zijn uitleg gaat aan me voorbij. Voor zover ik het volg is de betreffende kolonel commandant van een militaire basis even ten zuiden van Pattaya. De basis beschikt over een kleine haven voor leveranties. Twee of drie legertrucks brengen vanuit Micks plantage in het noorden zes ton geperste en vacuümverpakte marihuana naar Pattaya. Bedoeling is dat de balen op de basis worden overgeladen in een motorzeiljacht met de naam *Sea-Horse*, dat op dit moment al op weg is vanuit Songkhla, een havenstad in het zuiden op twee dagen varen van Pattaya. De medewerking van de kolonel is daarbij essentieel, dus als de kolonel een voorschot wil, dan krijgt de kolonel een voorschot.

Wacht even, zes ton marihuana, op een zeiljacht. Dat betekent dat het schip propvol wiet zit, tot in de asbakjes toe. Geen sprake van verstoppen. Klopt, legt Ray uit. Tot nu toe werkte Mick zoals vrijwel iedereen met grote vrachtschepen, vijftien of twintig ton per keer. Grote complexe projecten met veel investeerders en andere betrokkenen. Als zo'n project misloopt dan loopt het ook goed mis. Onlangs is er een Amerikaanse organisatie opgerold die vijftig ton tegelijk op een vrachtschip probeerde te smokkelen. Sindsdien richten de drugsbestrijdingsdiensten hun aandacht vooral op zulke megatransporten.

Reden voor Mick om terug naar de basis te gaan: eenvoudige operaties, gefinancierd met eigen kapitaal, weinig betrokkenen, relatief kleine partijen en alleen eigen product. Ook de ingewikkelde maritieme logistiek wilde hij vermijden. Gewoon een paar ton in een zeiljacht proppen en varen maar. Zijn vaste afnemer in Sydney koopt alles wat hij kan sturen en heeft in geen twintig jaar een betaling gemist. Ook op deze manier valt er genoeg te verdienen.

Alles goed en wel, maar waarom speciaal ik het geld moet

afleveren wordt er niet bij verteld. En hoe moet dat met Noi? Ben ik de zoveelste *farang* vol valse beloften? Het minste wat ik kan doen is het proberen uit te leggen en me verontschuldigen. Krijg ik daar de gelegenheid voor, kan ik haar te spreken krijgen voordat ze met een ander op stap gaat? Het duurt eindeloos voordat ook Mick en David naar buiten komen. Ze gaan lui op het terras zitten en roepen om drank en joints. Niemand lijkt haast te hebben en als jongste van het gezelschap kan ik weinig anders doen dan nog opzichtiger op mijn horloge kijken. Niemand die het opmerkt.

David is door zijn tijdschriften heen en begint sterke verhalen te vertellen over hoe ze in de jaren zeventig hasj van Nepal naar Amsterdam en Sydney smokkelden. Ze gebruikten daarvoor twee identieke koffers, bij voorkeur stevige Samsonites. Eén koffer ging naar Kathmandu en werd gevuld met achttien kilo hasj, gewikkeld in folie, op zijn plaats gehouden door wat schuimplastic, maar nauwelijks echt verstopt. De koffer werd afgeleverd op het vliegveld van Kathmandu en daar door het hoofd van de douane hoogst persoonlijk ingecheckt op de vlucht naar Amsterdam, via Kopenhagen. De man had vier dochters en kon iedere bijdrage aan hun bruidsschatten goed gebruiken. Hasj aan boord krijgen was in die dagen meestal een eitje, het probleem zat aan de andere kant.

Een week eerder vertrok een medewerker met de tweede koffer van Amsterdam naar Kopenhagen voor een korte vakantie. In de koffer zaten kleding, toiletspullen en wat toeristische informatie. De man (altijd een man, het was een grote koffer) bracht een weekje in Kopenhagen door met het bezoeken van bezienswaardigheden, het eten in goede restaurants en het doen van andere dingen die toeristen geacht worden te doen. Na een week ging hij uitgerust terug naar Amsterdam, geboekt op dezelfde vlucht als waarop de koffer uit Nepal zich bevond. Die koffer had de transitafdeling nooit verlaten en ging zonder verdere controle door naar Amsterdam.

Als alles klopte verschenen op Schiphol allebei de koffers op de bagageband. De medewerker pakte de 'verkeerde' koffer, dat wil zeggen de koffer met hasj, en liep door de douane. Mocht hij worden aangehouden dan kon hij verklaren dat het niet om zijn koffer ging. Blijkbaar had hij per ongeluk een andere koffer van hetzelfde type gepakt. Dat verhaal zou ondersteund worden door het feit dat zijn eigen koffer met persoonlijke spullen en vingerafdrukken nog op de bagageafdeling stond. Misschien zouden ze het niet geloven en hem een tijdje vasthouden, maar uiteindelijk zouden ze geen keus hebben en verplicht zijn hem te laten gaan.

Zo ver is het nooit gekomen. In die tijd werden keurige blonde Nederlanders bij aankomst uit Denemarken niet aangehouden door de Nederlandse douane. Nog steeds niet trouwens. Het is jaren goed gegaan totdat de controle in Kathmandu werd verscherpt om politieke redenen. De jongens stuurden twee koffers per maand en zijn er in al die tijd maar één kwijtgeraakt. Nooit achtergekomen wat daarmee is gebeurd. David verzorgde de verkoop van de helft in Amsterdam. De rest ging, verborgen in tuinkabouters, naar Rays mensen in Australië, waar het vijf keer zoveel opleverde. Het smokkelen van Nepalese hasj via Nederland naar Australië leek een idiote omweg, maar het was makkelijker en kostte uiteindelijk minder dan de directe route.

Dat laatste trok de aandacht van Mick, het idee beviel hem: het smokkelen van substantie X vanuit land van oorsprong A naar bestemming B, via de geografisch onwaarschijnlijke omweg C. Maar dan niet met een paar kilo hier en daar, Mick denkt alleen in tonnen. Bovendien had hij in die periode grote behoefte aan een goed contact voor zwarte hasj uit India, Nepal of Pakistan. De jongens hadden die contacten. Hij nam contact op.

'Ik breng mijn hele leven al marihuana naar Australië,' vertelde hij, 'en nu is er plotseling een gigantische vraag naar *Chocola*. Krediet heb ik niet nodig, ik betaal contant vooruit.'

Ray en David toonden zich leergierig en onder Micks leiding ontwikkelde de operatie zich tot een ware multinational.

David kan soms eindeloos doorlullen. Pas om half acht is hij klaar met zijn verhaal. Zelfs als we nu vertrekken duurt het nog minstens een uur voordat we in het centrum zijn. Te laat om me aan mijn belofte aan Noi te kunnen houden. Ik raak per minuut geagiteerder en eindelijk kondigt Mick aan dat het tijd is om te gaan.

'We hebben geen haast toch,' vindt Ray, knipogend in mijn richting.

Daar is Mick het niet mee eens: we moeten niet te laat aankomen bij de kolonel, na middernacht krijg je te maken met wegafzettingen. Het verkeer staat nu overal muurvast. Ik moet eerst nog langs het Sheraton om geld uit de boxspring te halen en wat schone kleren aan te trekken. Mick wil ook nog naar de Pink Panther. Reden genoeg om snel te vertrekken.

De Citroën staat glanzend gepoetst te wachten. CallmeTony is weer uit het niets verschenen en houdt de deuren open. Dit keer gaat hij zelf achter het stuur zitten met Mick naast hem. De jongens en ik klimmen achterin, CallmeTony start de motor en wacht tot de auto omhoog komt. Mick zet een Jim Reeves-cassette op en we zijn op pad.

*

We kruipen door de avondspits in de richting van Suriwong. Ik probeer een smoes te bedenken om straks voor een moment uit het hotel te ontsnappen en bij de Roxy langs te gaan. Ik moet haar spreken. Mick levert me het perfecte excuus. Hij stelt voor me bij het hotel af te zetten zodat ik me kan verkleden, dan ontmoeten we elkaar een half uur later bij de Pink Panther. Dat is twee deuren verder dan de Roxy, het kan niet beter.

'Oké, kom zo snel mogelijk naar de bar.'

'Waarom wachten we niet bij het hotel op hem?' vraagt Ray, die de kans grijpt nog even door te zieken.

Mick wil er niets van weten. Zoals hij al eerder zei, het hotel zit vol met ratten en de jongens vallen te veel op.

Het water heeft zich voorlopig teruggetrokken en we kun-

54

nen normaal met de auto bij het Sheraton voorrijden. Zodra de portier de deur opent, sprint ik de trap op, door de hoofdingang, langs de receptie, naar de liften. Ze zullen er hier onderhand wel aan gewend raken. In recordtijd neem ik een douche, verkleed me en doe een paar snelle kniebuigingen en ademhalingsoefeningen. Mijn conditie is redelijk, alleen het plassen is nu nog pijnlijker. Ik kruip half onder het bed om de helft van het geld te pakken. De rest krijgt de kolonel pas als de lading de haven uit is. De vijfentwintig stapeltjes passen makkelijk in de huidkleurige geldtas om mijn middel. Met een ruimvallend hawaïshirt eroverheen is er niets van te zien. Als ik het hotel uitloop zie ik er hetzelfde uit als iedere andere toerist met een beginnende bierbuik, op weg naar de geneugten van het nachtleven in de Stad der Engelen.

Met moeite baan ik me een weg door de menigte toeristen, hoerenlopers, straatverkopers, klantenwervers, amfetaminehandelaren en spionnen. Ik vermijd de verleidelijke stemmen en handen van halfnaakte nimfen op hoge hakken. Ik vind het neonsilhouet van de naakte liggende vrouw. Mijn shirt kleeft alweer aan mijn rug. Door het gordijn voor de ingang heen klinken dreunende bassen. Aarzelend en ongeduldig betreed ik de frontlinie.

De airco blaast ijskoude lucht in mijn bezwete nek, maar helpt niet tegen de vochtigheid. De tent is tot de nok gevuld. De laatste hit van Village People knalt op het hoogst mogelijke volume door de ruimte. Ik zoek haar gezicht tevergeefs in het halfduister. Ze is niet te vinden in de massa lichamen rond de dansvloer. Ze is niet bij de meisjes die dansen aan chromen palen. Ze staat niet achter de bar. Is ze al weg met een klant? Opnieuw kijk ik om me heen en zie de Laotiaanse van gisteren, de Captagon Queen, aan het andere einde van de bar, met haar bleke hoofd op de schouder van een reusachtige zwarte matroos van de Amerikaanse zevende vloot.

Ze herkent me direct en wenkt. Ik glimlach even verontschuldigend naar haar kolossale geliefde. Die maakt een gene-

reus gebaar, het lijkt me een aardige jongen, maar voor de zekerheid zal ik het niet te lang maken. Waarom ben ik mijn afspraak niet nagekomen, wil ze weten. Noi is erg bedroefd, ze
denkt dat ik een *butterfly* ben.

'Waar is ze?' vraag ik.

De Captagon Queen kijkt om zich heen, maar ziet haar ook
niet.

'She very sad and then she boxing.'

'Boxing?'

Jawel, Noi is op de vuist gegaan met een meisje dat ze niet
mag. Volgens haar vriendin is ze in orde, een paar schrammen,
meer niet. Dat zou me moeten geruststellen, maar in dit deel
van de wereld kan het betekenen dat ze zojuist een arm is kwijtgeraakt. Het ergste is dat ik geen tijd meer heb, de jongens zullen zich afvragen waar ik blijf.

'Zeg tegen Noi dat ik morgenavond terugkom,' druk ik de
Laotiaanse op het hart.

Ruw dring ik door de massa op weg naar de uitgang en krijg
de nodige vloeken naar mijn hoofd. Als ze praatjes hebben
moeten ze dat vooral even komen melden, dan kunnen we een
feestje bouwen, ben ik echt voor in de stemming. Twee meisjes
komen uit het toilet naast de uitgang. Ik laat ze voorgaan en zie
dan door de open deur Noi. Ze staat voor de spiegel terwijl een
ander meisje met een papieren zakdoek bloed van haar wenk-
brauw veegt. Overal om haar heen zijn meisjes bezig met het
aanbrengen van lippenstift en oogschaduw. Een dronken toerist staat bij het urinoir zwaaiend op zijn benen te pissen, de
meisjes schenken er geen aandacht aan. Iedereen hier moet het
met hetzelfde toilet doen.

'Noi,' roep ik over de muziek heen.

Ze draait zich om en ziet me staan, even lijkt ze de deur dicht
te willen gooien.

'Why you no come?' vraagt ze.

Ik probeer het uit te leggen, maar raak in het verhaal ver-
strikt. Het doet er ook niet toe, ik ben er nu om haar te omhelzen en te kussen. We vinden een vrije tafel, bestellen twee dub-

bele cocktails en zitten hand in hand een tijdje te zwijgen. Ze kijkt al wat minder treurig en nu moet ik haar opnieuw teleurstellen.

'Het spijt me vreselijk, ik moet vanavond naar Pattaya.'

Even kijkt ze blij omdat ze denkt dat ze mee mag. Pattaya is behalve de onbetwiste hoofdstad van het sekstoerisme ook de plaats waar *tout* Bangkok het weekend aan het strand doorbrengt. Maar het kan niet, zaken zijn zaken en ik heb het niet voor het zeggen.

'When you go?'

Nu, ik moet nu weg, maar ik kom terug, o ja, ik zal terugkomen, terugkomen voor jou. En dan zal ik je meenemen, weg van dit alles, en je kunt je niet voorstellen wat voor leven ik je kan geven... en zo babbel ik maar door.

Ze weigert me zelfs maar aan te kijken.

Ik heb geen idee wat te zeggen of doen en trek dan maar een stapel bankbiljetten uit mijn broekzak en duw die in haar hand. Duizend of vijftienhonderd dollar, vast meer dan ze ooit bij elkaar heeft gezien. Een bewijs dat ik het serieus meen. Geen tijd meer. Ze kijkt als gehypnotiseerd naar het geld en neemt het langzaam aan. Deze keer weigert ze niet.

'You no forget me. Number forty-four,' fluistert ze met haar armen om mijn hals.

Nu pas zie ik de ronde badge met dat nummer op haar bikini. Ik maak mezelf van haar los voor het nog erger wordt en haast me naar de uitgang. Vooral niet omkijken, haar verdriet zou me verpletteren. Maar toch, een laatste blik, een laatste glimlach. Ik kijk om. Noi staat bij de bar en ziet me niet. Met een brede lach op haar gezicht zwaait ze met het pak dollars naar haar vriendinnen en maakt een paar danspasjes. Mijn engel amuseert zich kostelijk.

Ik struikel naar buiten en probeer me te oriënteren. Tien meter verderop, voor de Pink Panther, staan in het licht van de neonschitteringen drie auto's: Micks Citroën en twee Mercedessen met donkere ramen. Het zijn de enige auto's in Patpong, officieel een voetgangersgebied. Een politieman staat vlakbij een straatverkoper zonder vergunning lastig te vallen, de voertuigen negeert hij. Ray zit breeduit op de motorkap van een Mercedes en maakt grappen met vier jonge, fit uitziende Thai in zwarte uniformen.

'Je begeleidingscomité,' roept hij als hij me ziet, 'het Koninklijke Thai Leger heeft een eenheid Rangers gestuurd om je uit de problemen te houden.'

Dan ziet hij de uitdrukking op mijn gezicht.

'Wat is er maatje? Is de prinses in een kikker veranderd?'

Hij ziet ook dat ik probeer ongemerkt in mijn kruis te krabben. Het jeukt en brandt steeds erger.

'En ook nog last van je leuter? Dokter Raymond zal je eens precies vertellen wat er loos is: een klassiek geval van Jasmine Fever, met hoogstwaarschijnlijk complicaties als gevolg van Saigon Rose. Kan dodelijk zijn, je hebt geluk dat de goede dokter paraat staat om je van zijn kennis en ervaring te laten profiteren.'

Ray wordt wel vaker welbespraakt als hij gelegenheid ziet iemand af te zeiken.

Saigon Rose is een gemene en vrijwel resistente gonorroevariant, vaak voorkomend bij barmeisjes, die gewend zijn preventief antibiotica te slikken. Jasmine Fever is ernstiger: een complexe aandoening die veel verschijningsvormen kent. De patiënt lijdt aan waanvoorstellingen, gedraagt zich bizar en onverantwoordelijk, neemt grote financiële risico's en, typerend, weigert medisch advies in te winnen of naar goede raad van vrienden te luisteren. De patiënt is kortom verliefd geworden op een *bargirl*.

En dat is het stomste, maar dan ook het allerstomste wat een vent kan doen, volgens Ray. Verliefd worden op een *bargirl*, daar zijn ze niet voor bedoeld, daar komt alleen maar ellende van voor alle partijen. Je duikt met twee of drie van die meiden het nest in, liefst tegelijk, dat vermindert het risico op verliefdheden. Als ze hun best doen betaal je ze een mooie vergoeding, geslaagde transactie, iedereen blij, maar je wordt niet verliefd op ze. Je kunt de meid uit de bar halen, maar nooit de bar uit de meid.

Gelukkig kent Ray het juiste medicijn: een injectienaald met de diameter van een jachtgeweer, gevuld met de allernieuwste penicilline, opgelost in een dikke olieachtige substantie. Je hebt er zoveel van nodig dat ze in iedere bil een halve hoeveelheid spuiten. Daarna loop je een week lang mank alsof iemand je reet met een honkbalknuppel heeft bewerkt. Werkt gegarandeerd, tegen beide aandoeningen. Ray krabbelt het adres van een gespecialiseerde kliniek op een stuk papier en slaat me op de schouder.

'Noem mijn naam maar, ze kennen me.'

Hij beweert de behandeling al zo vaak ondergaan te hebben dat er geen naald meer nodig is; hij heeft permanent twee gaten in zijn billen waar ze het spul zo in kunnen gieten met een trechter. Ik heb heel wat om over na te denken, maar krijg niet de tijd. CallmeTony zit al achter het stuur van de voorste Mercedes, de vier Thai klimmen in de tweede. Van onder zijn shirt pakt Ray een revolver en overhandigt die aan mij in het volle zicht van twee politieagenten, tientallen straatverkopers en een paar honderd hoerenlopers.

'Hopen dat je daar beter mee omgaat dan met dat ding in je broek.'

Ik steek het wapen in mijn broeksband en ga naast CallmeTony zitten. Langzaam rijden we de straat uit. Als we een paar hoeken zijn omgeslagen laat ik het papier met het adres van de kliniek aan hem zien. Daar wil ik eerst naartoe voordat we op weg gaan naar Pattaya. Hij protesteert, we moeten rechtstreeks naar de kolonel. Hij kan me nog meer vertellen, ik ben degene die het voorschot aan de kolonel moet geven en ik ben degene die dat niet gaat doen zonder eerst bij de kliniek langs te gaan. Thai zijn geen Duitsers en als het om afspraken gaat heb je hier meer aan een kalender dan aan een horloge.

Die kolonel kan wel even wachten.

4

Laten we het intussen eens over geld hebben, want daar gaat het uiteindelijk om. Om geld en om de kick, maar toch vooral om geld. Wat dat betreft is het net de echte wereld, behalve dat wie in onze wereld een tijd meeloopt op een gegeven moment de kans krijgt te investeren in grotere projecten. Gaat zoiets goed, dan verdien je vijf tot twaalf keer je inzet. Gaat het fout, dan ben je behalve de investering met een beetje pech ook nog je vrijheid kwijt. Een forse inzet, maar de kansen zijn een stuk beter dan in een gewoon casino.

Succesvolle spelers kopen aan de lopende band huizen, auto's, boten, vliegtuigen en soms ook kunst. Met het geld dat over is kopen ze meer van hetzelfde en af en toe een leuk tropisch eilandje. Anderen, zoals ik, jagen niet op het grote geld als doel op zich, maar zijn op zoek naar het 'Val-maar-lekker-dood-geld', het magische bedrag dat nodig is om tegen iedereen 'val dood' te kunnen zeggen als je dat zo uitkomt. Deze onderneming met Mick brengt dat geld dichterbij dan ooit. De verdeelsleutel is ingewikkeld, maar het komt erop neer dat ik twee miljoen kan verdienen. Australische dollars wel te verstaan. Dat is drie miljoen Nederlandse guldens, een aardig begin.

Bij het slagen van het project ben ik in de gelukkige positie dat mijn oude vriend Mark mijn financiële zaken regelt, want het verwerken van grote hoeveelheden contant geld is een kunst op zichzelf. Anders dan in Hollywoodfilms, is er zelden sprake van keurige stapels kraaknieuwe duizendjes in een luxe attachékoffertje. Veel vaker gaat het om een samenraapsel van kleinere, gebruikte bankbiljetten, geprop in een versleten sporttas, koffer, kartonnen doos of plastic supermarkttas.

Het komt voor dat een levering van een paar ton helemaal

betaald wordt met biljetten van tien en twintig dollar. Op die manier krijg je in Australië en Amerika voor iedere kilo marihuana bijna twee kilo geld terug. Dat is een hoop papier. In Nederland ligt de prijs van cannabis lager terwijl de nominale waarde van de bankbiljetten hoger is, maar het gaat nog steeds om een berg papier. Bovendien nemen gebruikte biljetten veel meer plaats in dan nieuwe. Een beetje succesvolle smokkelaar zit met kasten vol contanten in zijn maag. Ik ken mensen die het geld bij ontvangst niet tellen, maar sorteren en op de weegschaal gooien.

Hoeveel huizen, boten en sportwagens er ook worden aangeschaft, als de zaken goed gaan, blijven er altijd stapels geld over. De opslag daarvan is niet eens het grootste probleem. Uiteindelijk moet het grootste deel op een of andere manier het bancaire systeem worden binnengeloodst. Een hoop werk en niet goedkoop.

Iedereen in de branche kent het verhaal van de Amerikaanse broers, succesvolle smokkelaars, die twintig miljoen dollar op een Zwitserse bankrekening wilden zetten. Het geld lag ergens in Californië opgeslagen in een garage, verpakt in veertig kartonnen dozen. De broers richtten een computerbedrijf op met een hoofdvestiging in de Verenigde Staten en een bijkantoor in Zwitserland. De dozen werden voorzien van het label *Computer Diskettes*. Ze huurden een privéjet, trokken een net pak aan, kamden hun haar en vlogen naar Zürich. Bij aankomst controleerde een douanebeambte de vrachtdocumenten, fronste toen hij zag dat het om computeronderdelen ging en wenste de lading te inspecteren. De broers moesten toezien hoe hij de dozen opende en in plaats van diskettes stapels dollars vond. De douanebeambte zuchtte enigszins theatraal.

'Luister,' zei hij, 'ik leg het één keer uit: u mag ieder bedrag aan contanten Zwitserland binnenbrengen zonder wettelijke beperkingen, maar voor computeronderdelen gelden strenge regels. Zou u dus zo vriendelijk willen zijn de volgende keer het formulier correct in te vullen, dat bespaart iedereen tijd.'

De broers haastten zich dat te beloven.

Dat ging om twintig miljoen. De grootste hoeveelheid contant geld die ik zelf tot voor kort in handen hield was een bedrag van 650.000 Duitse marken. Het zat in een ouderwetse leren schooltas en werd mij na enkele vooraf overeengekomen rituelen overhandigd door een mij verder onbekende man. In ruil ontving hij een dikke envelop.

De transactie vond om onduidelijke redenen plaats aan het eind van de middag in een dorpscafé op het Oost-Groningse platteland. Als camouflage droeg ik een wollen muts, een verrekijker en stevige wandelschoenen. Ik zag eruit als een volslagen randdebiel. De man met de schooltas maakte het nog bonter, hij droeg een onberispelijk antracietkleurig, driedelig pak en een bril met randloze glazen. Het enige dat ontbrak was een pochet. Probeer vooral niet op te vallen, zeggen ze altijd. De Oost-Groningse boeren praten waarschijnlijk nu nog na over die merkwaardige ontmoeting tussen twee verdachte stadse types in hun eigen vertrouwde dorpscafé.

De man gaf de tas af, stak de envelop in zijn binnenzak en verdween. Ik bestelde een pilsje en een portie bitterballen en bleef nog een kwartiertje zitten, niet ontevreden. Deze transactie kon voor mij de doorbraak betekenen. Voor een serieuze investering is eerst een flinke som geld nodig en dat zat nu in de schooltas. Ik had het eerlijk verdiend door me twee maanden rot te werken voor de Meester van Tijd en Ruimte, een roemruchte LSD-kok.

Het was een ideetje van de jongens. Toen ze er na jaren bij toeval achterkwamen dat ik ooit iets met scheikunde had gedaan brachten ze me direct in contact met de Meester. Die had behoefte aan een slaafje, een discipel, een assistent en een leerling, in die volgorde, terwijl ik volgens de jongens behoefte had aan vastigheid, discipline en een gedegen vakopleiding. Hoewel ze normaal gesproken niet in LSD deden, waren ze gecharmeerd van het idee op termijn een kok in de familie te hebben. De vaardigheid goede LSD te maken is een schaars goed. Een diepte-investering, noemde David het.

In het burgerbestaan heet de Meester gewoon Helmut S., of correcter: *Herr Doctor* S. Een dikke, oude kerel die jarenlang organische chemie doceerde aan Duitse en Oostenrijkse universiteiten. Hij schreef ooit een gewaardeerd rapport over seizoensinvloeden op het aminozuurprofiel van koeienmelk en verlegde daarna zijn onderzoek naar het terrein van de psychofarmacie. In het universiteitslaboratorium brouwde hij, met overheidsvergunning, substanties zo illegaal dat gewone lieden er niet eens naar mochten kijken. Dat hield hij jarenlang vol totdat hij zich tijdens een periodieke bezuinigingsronde realiseerde dat zijn vaardigheden op de vrije markt beter betaalden.

Hij zette een eigen laboratorium op, produceerde daar kwalitatief hoogwaardige LSD, liet een baard staan en gooide zijn verzameling stropdassen de deur uit. Met doodsverachting slikte en snoof hij alle denkbare en ondenkbare substanties, adviseerde grote marktpartijen en verdiende bakken met geld. Hij werd de Meester van Tijd en Ruimte. Profeet, visionair en miljonair. Normale omgangsvormen en sociale conventies golden voor hem niet langer.

Voor mij als stagiair brak een zware periode aan. Behalve begenadigd laboratoriumartiest bleek de Meester een stronteigenwijze kerel die alles beter wist, overal een mening over had en geen enkele tegenspraak duldde. Hij beweerde met stelligheid dat een obscure kalender van een door eigen onhandigheid uitgestorven Mexicaanse indianenstam het einde der tijden aankondigde in 2012. Hitler handelde volgens hem in opdracht van een duister genootschap van vrijmetselaars en spiritisten, de CIA gebruikte LSD om in de jaren vijftig een heel Frans dorp te vergiftigen en met behulp van kabbalistische formules waren aandelenkoersen uitstekend te voorspellen. Zo ging het maar door.

Alleen over zijn vakgebied en over geld wist hij zo nu en dan iets zinnigs te zeggen: 'Arm geweest, rijk geweest,' beweerde hij eens, 'en geloof me: rijk is beter. Veel beter. Trap vooral niet in de laffe praatjes van wereldverbeteraars, opiniemakers, politici, geestelijk leiders en andere oplichters. Geluk is te koop en geld is gemunte vrijheid.'

Daar viel weinig tegenin te brengen. Een van die grimmige, calvinistische waarheden waarmee ik in het naargeestige provinciestadje van mijn jeugd om de oren werd geslagen, luidde dat wie niet steelt en wie niet erft, zal werken tot hij sterft. Geen prettig vooruitzicht. Wie niet in een positie is om genoeg te stelen of te erven, zal dus iets anders moeten bedenken. Een makkie, vond de Meester, het is helemaal niet moeilijk om geld te verdienen.

'Het geld ligt op straat, je moet het alleen durven oprapen.'

De eerste dagen moest ik vooral wennen aan zijn clandestiene laboratorium, gevestigd in een gerestaureerde boerderij diep in het bronsgroene eikehout van de Zuid-Duitse bossen. Het leek in niets op de schone, georganiseerde ruimtes die ik kende van de universiteit. Er waren planten en droogbloemen, in alle hoeken hingen spinnewebben, katten draaiden rond mijn benen. De apparatuur stond ogenschijnlijk chaotisch door elkaar op werktafels langs de muren: destilleerkolven, rotatieverdampers, vacuümpompen, gasbranders, roermachines, aan- en afvoerslangen, droogovens en glaswerk in alle soorten en maten. Op planken aan de muur bevonden zich tientallen potten en beneden in rekken stonden flessen met vloeistoffen.

Aandachtig volgde ik de hand van de Meester en probeerde aantekeningen te maken. Dat viel niet altijd mee want vaak kwam het enige licht in de ruimte van een paar rode gloeilampen. In bepaalde stadia van de synthese is het LSD-molecuul zo kwetsbaar dat het onder de invloed van normaal lamplicht uit elkaar zou vallen.

Mijn taken bestonden in het begin vooral uit opruimen en schoonmaken. Terwijl ik mij daarmee bezighield, controleerde de Meester regelmatig de stand van zaken bij zijn andere projecten. Hij experimenteerde graag met nieuwe methoden en nieuwe stoffen. Zijn favoriete onderwerp, naast LSD, vormden de zogenaamde *substituted amphetamines*, zwaar hallucinogene substanties zonder enige commerciële betekenis waaraan hij mystieke kwaliteiten toekende.

Terwijl de Meester werkte, vloekte hij binnensmonds, bromde kinderliedjes en liet scheten. Zijn blote buik hing over zijn boxershort, zijn enige kledingstuk behalve knalgroene bretels. De dikke vingers vlogen licht en zeker over de apparatuur. Als dingen niet verliepen zoals hij wilde, bleek dat altijd mijn schuld. Meestal omdat het glaswerk niet goed schoon was.

'Vies,' brulde hij dan in mijn oor en wees op een nauwelijks zichtbare verkleuring.

'Schoonmaken.'

Tot vervelens toe legde hij uit hoe glaswerk gereinigd moest worden. Achtereenvolgens met zuur, aceton en gedestilleerd water.

'Doe toch ja handschoenen aan, jij idioot,' schreeuwde de Meester nog net op tijd de eerste keer dat ik aan de slag ging.

Na de afwas werd het glanzend schone glaswerk droog geblazen met een föhn en begon het hele proces opnieuw.

Een mooi en bijna magisch moment vormde de allerlaatste fase van de kristallisatie. Door herhaaldelijk op te lossen en opnieuw te kristalliseren wordt het materiaal steeds zuiverder. Drie keer is standaard. De Meester stond erop de procedure vier keer uit te voeren. Na afloop hield hij het buisje kristallen omhoog in zijn hand en deed het licht uit.

'Goed kijken,' zei hij terwijl hij het flesje zachtjes schudde.

Ik hoefde niet eens goed te kijken om de vonkjes te zien, kleine schitteringen die van de kristallen afsprongen als het buisje bewoog.

'Zuivere LSD geeft licht in het donker,' zei de Meester, 'en schenkt verlichting aan de verduisterde geesten van zoekenden dwalend door de nacht van onwetendheid.'

Verlichting uit een reageerbuis. Geen slecht idee als het zou werken.

In vergelijking met andere substanties is LSD al actief bij extreem kleine doseringen en wordt gemeten in microgrammen. Een normale dosis ligt tussen honderdvijftig en driehonderd microgram, een veel te kleine hoeveelheid om correct af te kunnen wegen. Voor distributie moesten we de pure kristallen daarom overbrengen op *blotters*, stukjes vloeipapier ter grootte van een postzegel, doordrenkt met een oplossing van LSD. Een secuur werkje. Als je er uren mee bezig bent komen, ondanks beschermende maatregelen als handschoenen en maskers, onvermijdelijk minieme hoeveelheden via de huid in de bloedbaan terecht.

Niet genoeg voor een echte hardcore trip waarbij je kuddes roze olifanten knarsetandend aan het behang ziet knabbelen. Ruim voldoende om normale denkpatronen aan te tasten. Simpele redeneringen worden erg ingewikkeld en eenvoudige taken nauwelijks te overzien. Voor het zover is moet je de deur van het lab achter je dichttrekken, anders gebeuren er ongelukken.

Daarom werkten we nooit 's avonds en sloten we onze werkdag altijd af met een lange hete douche om zoveel mogelijk chemicaliën van de huid te wassen. De boerderij was voorzien van alle gemakken waaronder een luxe badkamer. Een huishoudster kwam elke dag langs om schoon te maken en te koken. Dat deed ze uitstekend. De Meester hield van comfort.

In de avonduren doceerde hij over koolstofketens, benzeenringen, fenethylamines, tryptamines en methylgroepen. Een begenadigde docent kon je hem niet noemen, hij sprong van de hak op de tak en vermengde de leerstof met anekdotes, sterke verhalen en LSD-folklore. Op gezwollen toon oreerde hij over 'de magie van de vierde positie' zonder zich af te vragen of ik er een woord van begreep. Een jaartje scheikunde bleek bij lange na niet voldoende om de hoge vluchten van de Meester te volgen. Het begon erop te lijken dat psychedelische scheikunde, ondanks de winstgevende vooruitzichten, niet mijn werkelijke roeping was.

Toch hield ik het twee maanden vol. We werkten hard en gedisciplineerd en produceerden in die periode vierhonderd gram pure LSD, genoeg voor twee miljoen standaarddoseringen.

Maar aan alles komt een eind en de ijzig koude tweede januari zou onze laatste werkdag worden.

Die bewuste dag bevonden we ons al vroeg in het lab. Ik, gehuld in winterjas en met een wollen muts op, de Meester, zoals altijd halfnaakt. In het halfduister van de rode lampen werkten we tot halverwege de middag. Totaal verkleumd nam ik na gedane arbeid een lange douche, plofte zoals gebruikelijk in de zitkamer op de bank en stak een joint op. De Meester was nergens te bekennen. Mij best, even rust. Voor ik de televisie kon aanzetten ging de telefoon.

Polizei. Of dit de domicilie van *Herr* S. was?

Jawohl, en waarmee kon ik de heren van dienst zijn?

Om te beginnen door te vertellen wie ik was.

Ik? Gewoon een huisvriend, *ein Freund.*

Mijn naam? Hase, *jawohl*, gespeld H-a-s-e.

Nee, ik wist van niets. Waar ging het eigenlijk over?

Verkehrs wat? *Unfahl?* Overtreding? *Geschwindigkeit Ubertretung?*

Geen doden, geen gewonden? Dat viel mee.

Maar het viel niet mee.

De Meester bezat een vierwiel aangedreven Audi-directiewagen met een 4,2 liter V8-motor. Een log uitziend monster met een topsnelheid van ongeveer tweehonderdzeventig kilometer per uur, dat hij de *Porsche Killer* noemde. Zodra de Meester in de auto stapte veranderde hij in Helmut S., de slechtste chauffeur ter wereld. Een krachtige auto gecombineerd met een ernstig gestoorde chauffeur is een recept voor aanzienlijke problemen. Niemand, letterlijk geen mens, was zo gek bij Helmut in de auto te gaan zitten. Ooit zou hij een slachtpartij veroorzaken met die tank, waarschijnlijk met een hele kleuterklas als slachtoffer. Het liep anders.

Terwijl ik nog onder de douche stond controleerde de Meester de twintig verschillende koelkasten en kwam tot de conclusie dat de voorraden ganzeleverpaté, rivierkreeftjes, kaviaar en gerookte zalm zich zo vlak na de feestdagen op een gevaarlijk laag peil bevonden. Hij sloeg een stevig glas whisky achterover, nam een snuifje speed om de spinnewebben uit zijn hoofd te blazen, pakte de auto en reed naar het dorp. Op verzoek hield de supermarkt daar speciaal voor hem een voorraadje exclusieve producten in voorraad.

Op de terugweg reed hij volgeladen met tassen onnodige levensmiddelen verstrooid de verkeerde kant van de Dorpsstraat in. Die Dorpsstraat is een lange smalle weg, sinds jaar en dag éénrichtingsverkeer, met schattige winkeltjes voor toeristen, eeuwenoude bomen, pittoreske huisjes en een lagere school. Tot zijn verdediging moet gezegd worden dat Helmut tamelijk snel inzag dat hij in de verkeerde richting reed. Zijn reactie was discutabel: in plaats van de auto langs de kant te zetten of te proberen om te draaien, gaf hij gas. Het leek hem het beste zo snel mogelijk weer uit die ongewenste situatie te komen, verklaarde hij later tijdens het verhoor.

Een Audi met een 4,2 liter V8-motor is vijf meter lang, weegt tegen de tweeduizend kilo en trekt in vijfeneenhalve seconde op van nul naar honderd kilometer. Luttele seconden later scheurde Helmut dus met tweehonderd per uur tegen het verkeer in door de Dorpsstraat. Tegen alle wetten der waarschijnlijkheid in vielen er geen doden of gewonden. Wel raakte de politiewagen, die aan de andere kant van de Dorpsstraat geparkeerd stond, zwaar beschadigd toen de Audi erbovenop vloog. De agenten konden nog net wegkomen, Helmut en de *Porsche Killer* bleven op wat schrammen na ongedeerd.

Ik maakte een snelle evaluatie.

Eén: de boerderij ligt van onder tot boven vol met illegale substanties.

Twee: Duitse politie arresteert Duits staatsburger voor verkeersovertreding in Duitsland en neemt minimaal zijn rijbewijs in beslag. Een heel verstandige maatregel. Vervolgens doen ze een *gründliche* bloedtest, waarbij naast wat alcohol een half dozijn andere substanties wordt aangetroffen, de helft illegaal en de andere helft volstrekt onbekend.

Drie: ze controleren de auto en vinden een plastic tas die daar niet hoort te zijn. In de tas zitten honderd vellen *blotters*, duizend per vel, ieder tweehonderd microgram, totaal honderdduizend lsd-trips.

Conclusie: de Meester zien we hier voorlopig niet terug. *Herr Doctor* Helmut S. zal waarschijnlijk een lange tijd in een kleine ruimte moeten doorbrengen en ik moet grote schoonmaak houden voordat de Gestapo voor de deur staat.

Het grootste deel van de troep gooide ik zonder na te denken op een brandstapel achter op het erf. Dat leverde veel geknetter, gesis en een grote zwarte rookwolk op. Daar zou waarschijnlijk in geen jaren meer iets groeien. Waardevolle substanties, zoals een kleine vierhonderd gram zuivere lsd-kristallen plus een paar losse vellen met *blotters* kwamen beslist niet in aanmerking voor vernietiging. Ik legde ze apart voor verkoop.

Zo kwam ik drie maanden later op een vroege lentedag met een schooltas met 650.000 Duitse marken terecht in een Gronings café. Een kwart miljoen mocht ik zelf houden, een ton ging als commissie naar de jongens, en met de drie ton die overbleef kon de Meester proberen zijn leven in de bajes de komende vijf jaar wat te veraangenamen. Geen slecht resultaat voor een opheffingsuitverkoop, maar als de Meester niet met tweehonderd kilometer per uur tegen het verkeer was ingereden, hadden we heel wat meer kunnen verdienen.

De ontmoeting in dat dorpscafé vormde het sluitstuk van een ingewikkelde serie onderhandelingen en ontmoetingen. De jongens handelden zelf nauwelijks in *acid.* Te onregelmatig en te veel mafkezen, vonden ze. Het viel dan ook niet mee op korte termijn een koper te vinden en we moesten flink omlaag met de prijs. Het eindresultaat zat in de tas op mijn schoot. Ik at de laatste bitterbal, betaalde en vertrok.

In de schemering liep ik met de schooltas onder de arm het dorp uit in de richting van het station. Het was een flinke wandeling langs uitgestrekte weilanden en sloten met hier en daar groepjes bomen. De weg maakte een bocht, het dorp verdween uit het zicht en vanuit de velden rolde de nevel als een tapijt over het landschap.

De leegte van Oost-Groningen drong door mijn kleren en huid naar binnen, bomen fluisterden in een onbekend dialect en de weg wiegde voort op het ritme van mijn wandelschoenen. Dat kwam misschien door het stuk Nepalese hasj dat ik een paar uur eerder had gegeten, omdat het me onverstandig leek met een joint in mijn mond tussen de boeren rond te lopen. Of mogelijk door het geld in de tas onder mijn arm. Grote hoeveelheden bankbiljetten veroorzaken soms krachtige zinsbegoochelingen. Maar het is niet uit te sluiten dat het Oost-Groningse landschap zelf hallucinogene eigenschappen bezit.

Het stationsgebouw stond eenzaam als een burcht tussen de koolzaadvelden en weilanden. Een onwaarschijnlijk gebouw: groot, glanzend wit en hoog uitstekend boven het vlakke land. De deuren waren gesloten, de lichten uit. Op het perron brandden twee lantaarns, er stond een houten bankje en er was niemand te zien. In de verte lag het dorp onzichtbaar verscholen achter de bomen. De stationsklok stond stil op kwart over drie. Het waaide. Op het ruisen van de bomen en gekwaak van kikkers na heerste stilte.

'Hier stopt in beide richtingen maar één trein per twee uur en er stapt bijna nooit iemand in of uit,' zei de conducteur een paar uur eerder toen ik aankwam.

Ik geloofde hem direct, maar dat was bij daglicht.

Nu, in het donker, leek het me onwaarschijnlijk dat hier aan het einde van de wereld ooit een trein zou stoppen. Waar zou die vandaan moeten komen, waar zou die naartoe moeten gaan en wie kon het wat schelen? Als je eenmaal zo ver bent gekomen kan je net zo goed blijven. Ik ging op het bankje zitten, zette de tas naast me neer en keek uit over de velden. Na lange, maar toch ook korte tijd kwam, vanuit het duister, een geel treintje aanschommelen. Het kwam tegenover mijn bankje tot stilstand en de deuren zwaaiden open. Ik stond op en stapte de trein in, de schooltas stevig in de rechterhand geklemd.

5

Met honderdtachtig kilometer per uur scheuren we over smalle wegen in de richting van Pattaya. Behalve een ononderbroken rij vrachtwagens op de linkerrijstrook is er vrijwel geen ander verkeer te zien. CallmeTony zit in opperste concentratie achter het stuur. Als voorbereiding op de rit heeft hij tien grote joints gedraaid, daarmee zouden we Pattaya net moeten halen. We zijn nu aan de achtste toe, het kan niet ver meer zijn. Honderd meter achter ons rijdt de tweede Mercedes.

De omweg langs de kliniek kostte veel tijd. De wachtkamer zat tot de nok toe vol met patiënten, vooral buitenlanders en hun Thai vriendinnen. Een in geslachtsziekten gespecialiseerde kliniek is winstgevende handel in Thailand. De jonge arts vroeg of ik contact met een prostituee had gehad. Zo wilde ik dat liever niet omschrijven. Goed, werkte ze misschien in een bar? Dat dan weer wel. De dokter wist genoeg, pillen hielpen zelden in dergelijke gevallen, beter meteen het zekere voor het onzekere nemen. Om een lang en pijnlijk verhaal kort te maken, Ray had voor één keer nauwelijks overdreven en goedkoop was het ook niet.

Bij Pattaya minderen we vaart. Het is tegen middernacht en eerst moeten we de stad nog door. De villa van de kolonel ligt aan het strand van Jomtien, een vissersdorp een paar kilometer ten oosten van het centrum van Pattaya, niet ver van de militaire basis. Die basis bezit een bescheiden maar goed uitgeruste haven, in principe alleen bedoeld voor militaire leveranties. De twee jachthavens van Pattaya zijn klein en slecht onderhouden. Grotere privézeiljachten mijden het gebied dan ook meestal. Voor de *Sea-Horse* gelden die beperkingen niet. De beperkte havenfaciliteiten van het Koninklijke Thai Leger staan volledig tot haar beschikking.

Naar de eisen van de heersende mode is ook de kolonelsvilla omringd door een hoge witte muur met glasscherven. Het hek staat open. Het wachthuisje naast de ingang is verlaten, en het huis is donker. CallmeTony mompelt iets in Thai wat klinkt als een vloek en rijdt meteen door. Hij slaat een paar hoeken om, parkeert de auto en dooft de lichten.

'Have problem,' zo verklaart hij zijn actie.

De tweede Mercedes stopt een paar meter achter ons. CallmeTony zegt me te blijven zitten, stapt zelf uit, overlegt met de vier Rangers, komt terug en begint op zijn gemak nieuwe joints te draaien. In de achteruitkijkspiegel zie ik twee donkere figuren uit de auto achter ons stappen en verdwijnen in de richting waaruit we kwamen.

'We waiting,' is het enige wat hij kwijt wil.

We roken in stilte tot de twee Rangers terugkomen. Ze hebben geen kolonel aangetroffen. De deuren van het huis zijn gesloten, de lichten zijn uit, het personeel is nergens te bekennen en de tuinman weet van niets. Hier worden we niet wijzer, besluit CallmeTony, we moeten op zoek naar een telefoon. Die vinden we bij het enige benzinestation in de buurt dat vierentwintig uur per dag open is. Behalve beroepschauffeurs spoelt hier al het afval van de nacht aan. Een *farang* alleen zou zich slecht op zijn gemak voelen, met de vier Rangers om me heen voel ik me net Al Capone's grote broer.

Terwijl CallmeTony telefoneert zie ik hoogtepunten van het net afgelopen WK voetbal in Mexico voorbijkomen op een zwart-wittelevisie aan de muur. Het geluid staat uit. Iedere actie van Diego Maradona wordt drie keer in vertraging herhaald, vooral het moment dat het Argentijnse onderdeurtje de bal zogenaamd over de boomlange Engelse keeper kopt, maar daarbij duidelijk zichtbaar zijn hand gebruikt. Het telefoneren duurt intussen eindeloos en tegen de tijd dat hij klaar is kijkt CallmeTony zo bezorgd als mogelijk is voor een Thai.

'Have problem,' herhaalt hij.

Eerst heeft hij geprobeerd Mick te bellen, maar die is niet in de Pink Panther aanwezig en bij het huis kreeg hij geen gehoor. Een paar telefoontjes naar contacten bij de politie leerden hem dat die, zoals gebruikelijk, geen idee hebben. Een paar vrienden in het leger weten ook nergens van. Natuurlijk is het heel goed mogelijk dat ze allemaal liegen, maar hij heeft de indruk van niet. De kolonel is spoorloos. Dit is een volkomen onverwachte situatie, zonder informatie kan hij geen beslissingen nemen en in Pattaya komen we niet verder. Het is tijd de hulp van hogere machten in te roepen.

'Go back Bangkok,' kondigt hij aan.

'Wat moeten we in Bangkok?'

'Speak boss.'

Dat begrijp ik even niet, hij zegt net dat Mick onbereikbaar is.

'Speak boss,' zegt hij nog eens met veel nadruk.

Ik heb weinig keus dan me erbij neer te leggen. Hij overhandigt mij een paar kleine witte tabletten. Speed, zegt hij, geen Ya Ma, zoals methamfetamine hier wordt genoemd en waar je stapelgek van wordt, maar benzedrine, vaak gebruikt door truckers om wakker te blijven. We zullen het nodig hebben vannacht.

De terugrit gaat nog sneller dan de heenreis. CallmeTony houdt zijn ogen op de weg en beide handen aan het stuur, we praten niet, we roken zelfs niet. Als een schaduw blijft de tweede auto op dezelfde afstand achter ons. Al na een ruim uur stoppen we op de parkeerplaats van een tankstation vlak buiten Bangkok. Hier moet opnieuw getelefoneerd worden. Terug bij de auto lijkt CallmeTony iets minder somber te kijken.

'We waiting,' kondigt hij aan.

Dat doen we, zittend in de auto. We hebben wat blikjes frisdrank gekocht, nog een paar joints gedraaid en luisteren onderuitgezakt naar Thai popmuziek op de radio terwijl we de parkeerplaats in de gaten houden. De auto met de vier Rangers staat tegenover ons geparkeerd. Ik geloof niet dat die jongens veel te drinken of te roken hebben. We wachten ongeveer een uur. Ik merk niets bijzonders op, CallmeTony wel.

'We go,' zegt hij opeens.

We stappen uit, sluiten de auto af en lopen naar het benzinestation. Binnen staan een paar mannen koffie te drinken. Een van hen blijkt een bekende, ze maken beide een *wai*, geven elkaar vervolgens een hand en praten een paar minuten. Nog een *wai* en de man vertrekt terwijl CallmeTony weer bij mij komt staan.

'We drink coffee.'

Goed, dan drinken we koffie. Het is met gemak de smerigste koffie die ik ooit heb geproefd. Na een kwartier lopen we weer naar buiten. Onmiddellijk zie ik dat beide Mercedessen zijn verdwenen. De enige personenauto op de parkeerplaats is een oude, grijze Datsun.

'No problem,' zegt CallmeTony voordat ik iets kan vragen.

Ik volg hem schuin over de parkeerplaats naar de Datsun, die er van dichtbij gehavend uitziet. Hij haalt een stel autosleutels tevoorschijn en opent daarmee de deur. De motor klinkt krachtiger dan ik van dit wrak zou verwachten. CallmeTony stelt de stoel en de binnenspiegel bij.

'We go.'

Dat had ik al begrepen.

'Speak boss.'

Het is bijna drie uur in de nacht. We rijden in de richting van Pratunam, het textieldistrict, via omwegen die meer te maken hebben met wegwerkzaamheden en eenrichtingsverkeer dan met eventuele achtervolgers. Ter hoogte van het Indrahotel duiken we de nauwe straten in. Hier geen neonlicht, harde muziek of gogobars. De wijk is een labyrint van stille, donkere straatjes, de rolluiken voor huizen en winkels zijn gesloten. We rijden de oprit van een hotel in. Een portier verschijnt, neemt de auto van ons over en rijdt hem de garage in.

In het restaurant zijn de tafels al gedekt voor het ontbijt. Achter in de eetzaal zit een dunne, oudere man in zijn eentje thee te drinken. Hij is gekleed in bermudashorts en een Metallica-T-shirt met aan zijn voeten plastic sandalen en op zijn hoofd een omgekeerde honkbalpet. Achter hem is een gesloten dubbele deur. Als nachtwaker ziet hij er niet bepaald afschrikwekkend uit. CallmeTony groet de man met een hoge *wai*, teken van groot respect.

'Him boss,' verklaart hij.

Op mijn beurt maak ik snel een hoge *wai*. De oude man knikt goedkeurend en grinnikt. Ze spreken een tijdje in half gefluisterd Thai en lijken dan tot een conclusie te komen. De oude man lacht nog maar eens in mijn richting, zegt dan iets en wijst op de deur achter zich. CallmeTony lijkt te schrikken. Hij schudt eerst zijn hoofd, lacht dan en wendt zich tot mij. Achter de gesloten deur, vertelt hij, bevindt zich een van de meest exclusieve gokgelegenheden van Bangkok. Op dit moment zit daar de hoogste politieofficier van de stad grof te winnen met baccarat. Als die een *farang* binnen ziet komen gaat hij vast door het lint, misschien begint hij wel te schieten, of hij valt flauw, moeilijk te voorspellen.

Het lijkt me verstandig dan maar een andere keer terug te komen, maar dat is volgens mijn Thai vrienden niet nodig.

'Can go, no problem, old man like joke.'

Fijn, zo raak ik dus betrokken bij een grapje van de ene Thai gangster ten koste van de andere. Eén keer raden wie straks de lul is.

Het heilige der heiligen achter de dubbele deur ziet er niet uit zoals je verwacht van een luxe goktent, geen pluche of velours, geen dames met diepe decolletés, geen geratel van fiches, geen *Rien ne va plus*. Het is een kale, lege ruimte, verlicht door tl-buizen met zes blackjacktafels en een verlaten roulette. Alleen rond het baccaratspel staan een paar mannen toe te kijken. De politieofficier speelt als een bezetene. Zijn gezicht is rood en bezweet, stapels geld liggen voor hem op tafel, in zijn hand houdt hij een glas whisky. Geen van de andere aanwezigen doet mee, niet onverstandig in de aanwezigheid van het bevoegde gezag want gokken is illegaal in Thailand, net als prostitutie trouwens.

Op onze binnenkomst volgt geen enkele zichtbare reactie. CallmeTony maakt een middelhoge *wai* en praat even met de spelende politieman. Die kijkt in mijn richting, veegt zweet van zijn voorhoofd en knikt. Hij trekt geen wapen en valt niet flauw. Mijn aanwezigheid is geregistreerd en daar blijft het bij.

Terwijl het bevoegde gezag nog eens inzet, verlaten we de zaal door een zijdeur en komen via een doolhof van gangen terecht bij een garage waar een zware Kawasaki-motor klaar staat. CallmeTony vindt twee helmen, start de motor en geeft aan dat ik achterop moet gaan zitten. De deur schuift automatisch open en rustig rijden we de garage uit. Eenmaal buiten geeft hij gas, de motor springt naar voren en met een onmogelijke snelheid scheuren we door de nauwe steegjes. Het is niet de eerste keer dat ik achter op een motorfiets zit, maar dit heb ik niet eerder meegemaakt. De zware motor, de berijder en de straten van Bangkok vormen een organisch geheel. Als hij evengoed kan omgaan met de Colt die hij nog steeds bij zich draagt is hij de gevaarlijkste man die ik ooit heb ontmoet.

Na een dodenrit van een kwartier bereiken we een verwaarloosd terrein ergens bij de rivier. Aan de overkant van het water wordt het eerste daglicht weerspiegeld in de duizenden stukken glas die als decoratie zijn aangebracht in de pagode van Wat Arun, de Tempel van de Dageraad. Tussen roestige containers, sloopmaterialen en autowrakken staat een goed onderhouden loods zonder ramen, met een stevige deur en drie forse sloten. CallmeTony heeft de sleutels. We laten de motor buiten staan, gaan zelf naar binnen en sluiten de deur. Achter in de loods is een soort kantoortje met een ouderwetse sofa, een paar aftandse stoelen en bureaus en een lawaaierige koelkast. CallmeTony gaat aan een van de bureaus zitten en begint twee joints te draaien. Een daarvan steekt hij aan, de ander geeft hij aan mij. Na een paar trekjes overhandigt hij mij ook de brandende joint en begint iets te zeggen.

'We waiting,' ben ik hem voor.

Hij schudt zijn hoofd.

'You waiting.'

*

Nadat CallmeTony is vertrokken laat ik me op de bank vallen, overdenk de situatie en kom tot geen enkele conclusie. Of eigenlijk ook weer wel: hij heeft maar twee joints achtergelaten en is dus niet van plan lang weg te blijven. Nu ik even rustig zit zweeft het beeld van Noi weer voor mijn ogen: Noi, de reddende engel, mij ondersteunend op mijn weg door de onderwereld. Noi in een rode sarong, zwaaiend met een boodschappentas. Noi die haar been over mijn been schuift. Noi met bikini en badge, eerder zielig dan erotisch. Noi, de gevallen engel, lachend en zwaaiend met een stapel bankbiljetten. Eigenlijk kan ik haar die blijdschap niet kwalijk nemen en die druiper is gewoon een beroepsrisico, daar moet je realistisch in zijn. Bekijk het eens van haar kant. Bijna tweeduizend dollar, hoelang moet ze daar wel niet voor werken. Voorlopig is ze voor even verlost van het vagevuur. Ik moet met haar praten, misschien kunnen we een regeling treffen. Wat ze ook verdient, ik kan het met gemak verdubbelen en dan hoeft zij niet meer te dansen in een bikini met een nummer op haar bovenstuk.

Ondanks mijn optimistische inschatting is de tweede joint allang in rook opgegaan als er aan de buitendeur wordt gerommeld. Voordat ik op het idee kan komen met de revolver in aanslag achter een bureau te duiken, komt CallmeTony binnen, gevolgd door David en Ray, de reünie is bijna compleet. De jongens komen rechtstreeks uit de Pink Panther. Afgelopen nacht zijn ze alle gogobars van Patpong afgeweest, maar Mick was nergens te vinden, net zomin als de Citroën. De Thai wisten uiteraard van niets en de jongens besloten ter plekke te wachten tot er iemand op zou dagen. Dat werd CallmeTony. Ze weten ook niet wat er allemaal aan de hand is. Kolonel verdwenen, Mick verdwenen. We moeten op Mick wachten. Hij is de man met de contacten. Onze Thai regelneef staat alweer op het punt ervandoor te gaan.

'We waiting,' zeg ik.

CallmeTony knikt en vertrekt, Ray installeert zich op de sofa, David merkt op dat mijn Thai in een paar uur tijd behoorlijk vooruit is gegaan.

Tijdens het wachten wordt het in de loods bloedheet en benauwd. Ray heeft de sofa in de steek gelaten, loopt eindeloos te ijsberen en klaagt over de hitte. De airco is kapot, de ventilator op sterven na dood. David heeft ergens een stapel oude kranten vandaan gehaald, hij leest nu geconcentreerd de kennismakingsadvertenties in de *South China Post*. Ik heb een schroevendraaier gevonden en ga daarmee zonder veel hoop de airco te lijf.

We zouden gewend moeten zijn aan wachten. Onze werk bestaat daar grotendeels uit. Daar hoor je zelden iemand over, maar zo is het wel. Eindeloos wachten, op belangrijke contactpersonen, logistieke informatie, verzette afspraken, resultaten van onderhandelingen, bevestigende telefoontjes en als we geluk hebben, tassen met geld. Tussentijds kijken we televisie, lezen we kranten en tijdschriften, maken ons zorgen en vertellen elkaar moppen die we al duizend keer hebben gehoord.

Onverwacht komt David dit keer met een nieuwe grap aanzetten. Een van de beste die hij ooit heeft gehoord, vindt hij: Een arme student helpt een oud vrouwtje met oversteken. Zij blijkt een goede fee te zijn en hij mag drie wensen doen. Hij wenst ten eerste rijkdom, ten tweede macht en ten derde een beeldschone prinses als vrouw. Zonder veel verwachtingen gaat hij die avond naar bed en tot zijn verrassing wordt hij de volgende ochtend wakker in een groot hemelbed tussen zijden lakens. Hij kijkt om zich heen. Ook de rest van de slaapkamer straalt luxe en rijkdom uit. Een beeldschone jonge vrouw, gezeten aan een elegante kaptafel, is bezig haar lange krullen te borstelen. Als ze merkt dat hij wakker is draait ze zich met een stralende glimlach naar hem toe en zegt: 'Wakker worden, *mein lieber Franz Ferdinand*, we moeten vanmiddag naar Sarajevo.'

Helemaal niet slecht.

Ray denkt er anders over: 'Waar slaat dat nou op? Moppen horen grappig te zijn, of ben je soms bang dat iemand zich dood lacht.'

'Moet jij nodig zeggen,' reageert David, 'in jouw moppen wordt alleen maar geneukt, alsof dat zo grappig is.'

'Ik ken genoeg moppen waarin helemaal niet wordt geneukt.'

'O ja? Laat maar horen dan.'

Ray begint: 'Een oud vrouwtje helpt een arme student met oversteken...'

'Fout man,' roept David uit. 'Je draait meteen al alles om.'

'Laat hem nou even uitlullen,' kom ik ertussen, 'ik heb altijd al een mop van Ray zonder geneuk willen horen.'

'Omdat je het zo lief vraagt,' zegt Ray.

Een oud vrouwtje helpt een arme student de weg over te steken. Hij blijkt een goede fee te zijn en ze mag drie wensen doen. Allereerst wenst ze weer jong en mooi te zijn. Haar tweede en derde wens zijn dat de aardappels in haar kelder zullen veranderen in goud en haar geliefde kater in een knappe prins. Thuis ziet ze tot haar vreugde in de spiegel dat ze weer jong en mooi is. Ze gaat de keldertrap af en vindt daar een berg gouden aardappels. Terug in de huiskamer ziet ze een knappe prins in wie duidelijk de trekken van haar geliefde kater te herkennen zijn. Ze strekt haar armen naar hem uit. Hij kijkt haar onbewogen aan en zegt: 'Nu heb je er zeker wel spijt van dat je mij hebt laten castreren.'

Zelfs David moet erom lachen.

'Geef toe,' zegt Ray, 'er wordt absoluut niet geneukt in die mop.'

De tijd verstrijkt, de irritaties nemen toe. Meestal wachten we in redelijk comfortabele omstandigheden: dure hotels, speciaal gehuurde appartementen, eersteklas lounges, louche nachtclubs of bankjes in het park. Dit hier is minder comfortabel. In sporttermen: we spelen een uitwedstrijd, het publiek is tegen ons en de scheidsrechter vermoedelijk omgekocht.

Zonder Mick zijn we nergens. De Thai operatie is van hem,

wij liften alleen maar mee. Als tegenprestatie voor hun diensten gaf Mick de jongens de gelegenheid zich voor een half miljoen Amerikaanse dollars in te kopen. Dat is ongeveer een miljoen gulden, een vriendenprijs. Ik mocht ook meedoen. Dankzij het geld dat ik verdiend had bij de Meester lukte het me een derde deel bij te dragen. De taak om als een veredelde koerier het geld naar Bangkok te brengen wezen de jongens aan mij toe.

Hoewel er dus officieel sprake is van een joint venture, blijft Mick degene met de contacten bij het leger, de politie en in de onderwereld. Wij doen mee, betalen mee, profiteren mee, lopen risico's, maar weten niets en daarom zitten we hier te wachten.

In dit onderdeel van het vak is Ray de minst getalenteerde: een vulkaan op het punt van uitbarsten is meer ontspannen. Hij gaat liever in zijn eentje een peloton DEA-agenten te lijf dan hier zitten wachten. Het uithoudingsvermogen van David is afhankelijk van de beschikbare hoeveelheid leesmateriaal. Hij lijdt aan een ernstige vorm van alfabetisme, een aandoening waarbij de patiënt permanent iets te lezen moet hebben, om het even wat. Ieder stuk papier met letters erop spit hij desnoods drie keer door: gebruiksaanwijzingen van huishoudelijke apparatuur, twee maanden oude kranten, reclamefolders, tijdschriften over plastische chirurgie en bij een bepaalde gelegenheid, in mijn bijzijn, het telefoonboek van Helsinki, waaruit hij met weidse gebaren stond te declameren: '*Ukkonen, Uosukainen, Uotila, Uppa, Utrio, Uusipaikka, Uusitalo...*'

Als hij door zijn leesmateriaal heen raakt, deelt hij zijn kennis ruimhartig met anderen. Op die manier krijg je alles te horen over handige knoflookpersen, de voor- en nadelen van permanente rimpelvullers, de voetbaluitslagen uit Uruguay en de economische situatie in Albanië.

Ook nu begint hij een verhaal op te hangen dat hij net in een tijdschrift heeft gelezen. Het gaat over een Amerikaanse auteur die volgens het artikel twintig miljoen dollar aan filmrechten heeft verdiend.

'Twintig miljoen, misschien moet ik ook maar eens de kunst in, films maken of spannende boeken schrijven of zoiets.'

Ray voorkomt een eindeloos betoog door een enorme, duidelijk eigenhandig gedraaide joint door te geven.

'Bek dicht en roken, ik krijg koppijn van dat gelul.'

We houden onze bek dicht en roken.

Dat doen we nog steeds als de buitendeur openzwaait. Ray en David duiken ieder achter een kast en trekken hun wapen, ik laat me op de grond vallen en probeer opzij te rollen. De geldtas op mijn buik zit in de weg en ik realiseer me dat mijn revolver nog op het bureau ligt.

Door de deur komt Mick met een onbekende Thai in zijn kielzog. Hij kijkt verbaasd om zich heen en begint te lachen. Ray en David bergen hun wapen op en grinniken schaapachtig mee. Niemand besteedt aandacht aan mij, dus sta ik ook maar weer op. Mick heeft een paar grote plastic tassen van de minimarkt bij zich, bier, koffie, sandwiches en flessen water. Het ziet ernaar uit dat we hier een tijdje blijven. Goed idee, als we nog even wachten komt de kolonel waarschijnlijk ook spontaan naar binnen lopen.

De Thai trekt zich discreet terug en Mick opent de vergadering met de opmerking dat hij niet veel meer weet dan wij. De kolonel is zoek, dat is de enige zekerheid die we hebben. Mick zelf was niet zoek, hij had andere bezigheden waar hij verder niet over uitweidt en ging ervanuit dat de jongens zelf terug naar het huis zouden gaan. Toen hij daar laat in de nacht niemand aantrof behalve de bedienden, ging hij doodgewoon naar bed. Pas vanmorgen begonnen hem verontrustende berichten te bereiken, culminerend in een lang telefoongesprek met CallmeTony. Nu wil hij het verhaal nog eens van mij horen. Ik vertel. Hij luistert aandachtig.

'Je hebt Poh Surachai Pannawatananusom, kortweg Poh, ontmoet, de Godfather in eigen persoon,' zegt hij als ik klaar ben. 'Een hele eer.'

'Hij leek anders absoluut niet op Marlon Brando.'

Mick vindt het niet grappig, Poh is een *Jao Poh*, een Thai

Godfather: zakenman, politicus en misdaadkoning tegelijk. Zijn macht, rijkdom en invloed zijn voor ons moeilijk voor te stellen. In Thailand staan mensen boven een bepaald sociaal-politiek niveau volgens Mick ook automatisch boven de wet. Niet omdat ze zijn afgeschermd door advocaten en geld, want advocaten en geld zijn niet genoeg. Hun onkwetsbaarheid berust op een uitgebreid systeem van wederzijdse gunsten, schulden, onderlinge afhankelijkheden en schadelijke geheimen. Zij zijn de *Phu Yai*, de Grote Mensen, de top van zakenwereld, rechterlijke macht, leger en politie, de machtigste politici en criminelen. Met een handbeweging beïnvloeden ze tienduizenden levens van Kleine Mensen, *Phu Noi*, die hun gehoorzaamheid verschuldigd zijn. Ze stelen van de armen, geven aan de rijken en worden er algemeen om bewonderd. Uitsluitend eenrichtingsverkeer is het niet. Soms moeten ze wat teruggeven: bescherming, werk, onderwijs, huisvesting. Het is een contract en *Phu Yai* die zich niet aan hun deel van de deal houden lijden gezichtsverlies, het ergste wat een Thai kan overkomen.

Normaal gesproken komen *farang* niet in contact met deze kringen. We hebben geen status, we komen en gaan, onze sporen zijn even duurzaam als rimpelingen op het water, maar voor de zaken die Mick doet is een beschermheer onmisbaar. De Godfather van Pratunam vervult die rol op afstand. Hij beheerst het gokwezen, hij is de man die bepaalt wie wint en wie verliest. Onderdelen van leger en politie staan onder zijn controle en hij heeft belangenbehartigers in regering en parlement. Drugs, prostitutie, mensenhandel, bedelarij en afpersing laat hij over aan zijn luitenants, zoals CallmeTony, terwijl hij zelf als een feodale heer zetelt in zijn gefortificeerde stadsvilla in Pratunam. Hij is in onder-, boven- en tussenwereld een zeer gerespecteerd man en Thailand is onder alle oppervlakkige moderniteit in wezen een feodale samenleving, zegt Mick. Wie dat niet begrijpt zal nooit iets van het land begrijpen.

CallmeTony fungeert als tussenpersoon en kan beschikken over middelen en contacten van de organisatie. Hij heeft opdracht gegeven ons transport te onderscheppen. Zolang we niet weten wat er met onze kolonel aan de hand is kunnen we moeilijk met drie trucks vol marihuana bij de poort van een legerbasis aankloppen. De vracht zal worden overgeladen in gewone trucks en die worden op hun beurt keurig gestald in een loods. De mannen van CallmeTony blijven in de buurt om een oogje in het zeil te houden. De lading is op afroep beschikbaar. Mick verwacht geen problemen.

Het tegenhouden van de boot zou wel een probleem kunnen worden, zegt hij. Die moet nu ergens halverwege de Golf van Siam zijn en het contact is verloren gegaan. Aan de zendapparatuur kan het niet liggen, ze gebruiken dezelfde spullen als de kustwacht, maar de boot is nu al uren onbereikbaar. Als dat niet snel verandert hebben we een extra complicatie. Ook zonder illegale goederen aan boord is het geen goed idee om zomaar zonder afspraak bij een Thai legerbasis aan te komen varen.

Het echte probleem is natuurlijk dat we niet weten waar we aan toe zijn. Is er sprake van een serie ongelukkige tegenslagen of gaat het om vuil spel? Wie haalt het in zijn hoofd om Mick en CallmeTony voor de voeten te lopen? Waar is de kolonel en waarom kunnen we heel toevallig, net nu, geen verbinding met de boot krijgen?

'Tien tegen één dat het een internationale Gestapo-operatie is waaraan de Thai om diplomatieke redenen gedwongen zijn mee te doen,' zegt David.

Mick reageert geïrriteerd.

'Zelfs als het zo was, dan zou ik ervan weten. Dit is Thailand. De enigen die hier worden gepakt zijn sukkels en amateurs zonder contacten en ik ben geen van beiden.'

Daar heeft hij vast wel gelijk in, maar blijkbaar kan er ook bij nauwe samenwerking met de plaatselijke autoriteiten genoeg misgaan. Als het de politie, het leger of de DEA niet is, wie dan wel? De concurrentie? Niet waarschijnlijk, die zouden de trucks met marihuana beroven, het volgeladen schip op zee kapen of met grof geweld de hennepvelden inpikken. Deze situatie slaat nergens op. Materiaal, afnemer, geld, alles wat er werkelijk toe doet, hebben we nog steeds in eigen hand. Wat we kwijt zijn, is de 'deur' waardoor de spullen het land uit moeten. Alsof iemand de voordeur uit je huis jat en de rest van de waardevolle spullen ongemoeid laat.

Mick is iemand die problemen graag van alle kanten en samen met alle betrokkenen uitgebreid bekijkt en bespreekt en daarom discussiëren we tot we een ons wegen. We speculeren, analyseren, veronderstellen, gokken, draaien rond in cirkels en komen geen stap verder. Waar we wel snel uitkomen is de constatering dat de operatie uitgesteld moet worden tot we weten wat er loos is. We besluiten de zaak voorlopig stil te leggen en ons een tijdje gedeisd te houden.

'Dat geeft ons mooi de gelegenheid om in de tussentijd een leuk toneelstukje op te voeren?' bedenkt David.

Om erachter te komen of iemand ons in de gaten houdt, stelt hij voor een paar vrachtauto's vol te laden met lege koffers en andere troep. Vervolgens gaan we met de trucks op pad. We gedragen ons verdacht, stoppen hier en daar op een parkeerterrein, regelen een paar ontmoetingen bij wegrestaurants, wisselen vracht uit en kijken of er een reactie komt. Tegelijk moet een tweede team de hele voorstelling van een afstand in het oog houden om te zien of we bespied worden.

Mick lacht en schudt zijn hoofd.

'Geinig idee, misschien iets voor ons volgende zomerkamp, maar nu hebben we daar even geen tijd voor.'

Over een paar dagen vliegen de jongens naar Pakistan om toe te zien op het vacuüm verpakken van een partij zwarte hasj. Dat was al eerder gepland. Het heeft geen zin, vindt Mick, om het werk in Pakistan uit te stellen terwijl hier voorlopig niets te doen valt.

Mijn geval ligt anders, met een beetje geluk ben ik niet opgemerkt. Mick heeft met CallmeTony gesproken en ze zijn het eens. Vandaag nog moet ik weg uit het Sheraton en rechtstreeks naar het Phoenix Hotel in Pratunam, waar ik vanmorgen vroeg ook al was. Als hotel doet het niet onder voor het

Sheraton en er zijn een aantal bijkomende voordelen: om te beginnen is het een politievrije zone, ik kan er naar hartelust *ganja* roken, barmeiden meeslepen, of wat ik maar kan bedenken. Niemand zal er iets van zeggen en de enige politie die je er ooit ziet is een afgevaardigde van het wijkkantoor die eens per maand het loon voor zichzelf en zijn collega's komt ophalen. Ze worden betaald om de buurt misdaadvrij te houden, iets wat er anders niet van komt. Een Thai straatagent wordt slecht betaald, kan zich nauwelijks veroorloven om eerlijk te zijn en zeker niet om zich bezig te houden met zoiets onrendabels als misdaadbestrijding.

Poh houdt niet van straatcriminaliteit en betaalt om ervan verschoond te blijven. Hij is van de oude stempel en verantwoordelijk voor vrede en veiligheid in zijn gebied. Natuurlijk heeft hij ook andere motieven. Hij runt een hotel in een veilige buurt, in een stad met een slechte reputatie. Mick acht hem zonder meer in staat gespuis in te huren om wijken van de concurrentie onveilig te maken.

In het Phoenix Hotel ben ik afgeschermd voor spiedende blikken en kan ik zelf weinig schade veroorzaken. Ook het geld is er veilig. Mick zal het hotel vermijden en ik kan beter niet in de buurt van zijn huis komen. CallmeTony onderhoudt het contact voor zover nodig. Als de jongens over een paar dagen zijn vertrokken laat Mick weten hoe de zaken ervoor staan. Goede kans dat al die ingewikkelde voorzorgsmaatregelen overbodig zijn, maar we kunnen het risico niet nemen.

Mick en de jongens balen. Ik zie ook de positieve kant van de situatie.

Ray raadt mijn gedachten: 'Mazzel voor jou, krijg je lekker de tijd om dat schatje met de dikke brillenglazen weer eens op te zoeken.'

'Bovendien blijf jij in Bangkok met bier en meiden op iedere straathoek, terwijl wij straks tussen de Paki's zitten,' voegt David eraan toe.

Die Paki's zijn gastvrij genoeg, ze ontvangen je als geëerde gast in hun huizen, zijn competent en in financieel opzicht betrouwbaarder dan Thai. Het zijn ook moslims van het strikte soort en dat brengt beperkingen met zich mee. Bijna alles kan geregeld worden, inclusief een speciale vergunning voor alcoholgebruik of diner met de hoofdcommissaris. Maar meiden? Vergeet het maar, geen schijn van kans. Bij projecten in Pakistan is supervisie absoluut noodzakelijk, maar niemand wil er langer dan een paar weken heen.

'Dan sturen jullie toch gewoon een homo,' stelde een van de Paki's een keer voor.

Het was niet eens als grap bedoeld, gezelschap van jeugdige knapen kunnen ze zonder problemen regelen. Geen slecht idee, maar ik geloof niet dat het er ooit van gekomen is.

Mick en de jongens maken zich klaar om samen met de Thai te vertrekken. Ik blijf achter. CallmeTony zal me over een half uurtje komen ophalen en naar het hotel brengen.

'Doe de groeten aan je meisje,' zegt Ray.

'Pas goed op het geld,' zegt David

'Blijf weg uit de Pink Panther,' zegt Mick.

De deur valt dicht en ik ben weer alleen in de loods.

Terug op de sofa overvalt me een acuut gevoel van overbodigheid. Ik heb het geld gebracht en ik ben mede-investeerder. Verder is mijn rol onduidelijk en ren ik voortdurend achter andermans reet aan. Intussen waarschuwt iedereen me om vooral geen relatie met een *bargirl* te beginnen. Het is een gokspel met meer verliezers dan winnaars. Ray noemt het Thai roulette en beschouwt het als gevaarlijker dan de Russische variant. Allemaal waar, maar dit ligt anders en Noi is geen gewone barmeid. Het wordt tijd dat ik eens wat zaken in eigen hand neem. Ik steek de laatste joint op. CallmeTony zal zo wel komen.

*

Bij daglicht ziet de grijze Datsun er nog vermoeider uit dan gisternacht. We zijn op weg naar het Sheraton om mijn spullen en het geld op te halen. Nauwkeuriger gezegd: we staan stil in de kilometerslange file op Rama IV Road. CallmeTony legt uit hoe we het straks gaan aanpakken. Blijkbaar is David niet de enige enthousiaste beoefenaar van amateurtoneel want Call-meTony heeft een listig plan bedacht om mij ongezien vanuit het Sheraton naar het Phoenix Hotel te brengen. Stap één: hij zet me af bij de hoofdingang, ik ga naar binnen, hij rijdt weg. Stap twee: ik ga naar mijn kamer, pak mijn spullen bij elkaar en vergeet het geld niet. Intussen wisselt hij twee straten verderop van auto en rijdt via de achterzijde van het hotel de parkeer-garage in. Stap drie: ik verlaat de hotelkamer, neem de lift naar niveau B2 en stap in de geblindeerde Mercedes die daar wacht met CallmeTony aan het stuur.

Geen plan om uitputtend te analyseren, zelfs op het eerste gezicht zitten er wel een paar zwakke plekjes in, maar Callme-Tony heeft er zin in en wie ben ik om spelbreker te zijn.

Alles verloopt gladjes. Rustig loop ik door de lobby, knik de-ze en gene eens vriendelijk toe en verdwijn zonder me te haas-ten in de lift. Het kost me heel wat tijd de rest van het geld uit de boxspring te halen en in de tas te proppen. Die is zo goed als vol, met een wijd shirt eroverheen heb ik nu een forse bier-buik. De rest van mijn persoonlijke bezittingen pak ik in een halve minuut bij elkaar. De lift zoeft geruisloos naar beneden, de Mercedes staat met draaiende motor klaar, de hoofdrolspe-ler stapt in, de auto rijdt uit beeld. *Cut.* De regisseur is tevre-den.

Het Phoenix Hotel ziet er bij daglicht beter uit dan 's nachts, al kan dat ook komen doordat ik nu via de hoofdingang binnen-kom. CallmeTony zegt een paar woorden tegen de receptionis-te en krijgt een sleutel. Paspoort en registratie zijn niet nodig. De kamer op de tiende verdieping onderscheidt zich in niets van de standaard vijfsterrenhotelkamer. Wat moeten we met het geld? De kluis is zoals altijd veel te klein en als bijzondere gast kan ik bezwaarlijk gaten in het meubilair gaan scheuren.

CallmeTony weet iets beters, hij neemt me mee naar een voorraadruimte beneden naast de keukens. Aan de linkerwand staat een grote vrieskast, afgesloten met een hangslot. Ook daarvan heeft hij de sleutel. In die vrieskast bewaren ze het duurste vlees, legt hij uit, het personeel denkt dat ze de boel op slot houden uit angst voor diefstal. CallmeTony tilt een paar in plastic gewikkelde lamsbouten uit de kast, gebaart mij de geldtas aan te geven, legt die onderin en stapelt het vlees er netjes bovenop. Ik kan niet zien wat er verder zoal in zit. Hij sluit de vrieskast af en geeft me een sleutel. Er zijn drie sleutels, zegt hij, één voor hem, één voor mij en één voor Mick. Het geld en de lamsbouten zijn gegarandeerd veilig.

Volgende punt. Hoe kan ik me van hieruit het beste door de stad bewegen, bijvoorbeeld naar Patpong? Dat is nog niet zo eenvoudig, beweert hij. Het bussysteem van Bangkok is voor *farang* volstrekt onbegrijpelijk, alle taxichauffeurs zijn criminele psychopaten en de *tuktuks* zijn nog veel erger. Het beste zou zijn om een privéchauffeur te gebruiken. Zo iemand heeft het hotel in dienst en ik mag daar geheel gratis gebruik van maken.

CallmeTony stelt me voor aan een keurig Thai-Chinees mannetje van middelbare leeftijd met een hoge, schelle stem en alweer een onuitspreekbare naam. Daar is hij zich van bewust. Ik moet hem maar Mister Joe noemen, zegt hij.

'Same like American, yes.'

Zijn Engels is helemaal niet slecht voor een Thai. CallmeTony vertelt dat Mister Joe ooit een succesvolle zakenman was. Hij vergokte alles en Poh gaf hem een baantje in het hotel als gids en chauffeur. Heel goedhartig, eerst snijden ze je strot open en dan kun je een pleistertje krijgen. Mister Joe is, naar eigen zeggen, gek op alles wat Amerikaans is, vooral op Amerikaanse filmsterren met grote tieten. Een Thai die gek is op grote tieten? Lijkt me lastig, er is hier op seksueel gebied veel te beleven, maar grote tieten zijn dun gezaaid.

Mister Joe is aangesteld als mijn begeleider, chauffeur en gids. Heel chic, als ik niet de indruk zou hebben dat hij in feite is ingehuurd als babysitter. Als ik hem vraag wat de beste manier is om naar Patpong te gaan geeft hij mij twee keuzes: het meest comfortabele is met de auto, maar de kans is groot dat we vast komen te staan in een eindeloze file. Het snelst is zonder twijfel met de motor, het nadeel daarvan is blootstelling aan uitlaatgassen en wegpiraten. Ik kies voor de motor.

Mister Joe rijdt goed of liever gezegd, hij rijdt zo voorzichtig dat hij het risico loopt opgepakt te worden wegens on-Thaise activiteiten. Snel gaat het niet, maar we bereiken wel ongedeerd Patpong. Ik ben hem dankbaar dat hij mij veilig hierheen heeft geloodst, maar naar de Roxy ga ik toch liever alleen. Hij lijkt geen bezwaar te hebben en gaat op zoek naar een plek om de motor neer te zetten.

Uit de luidsprekers in de Roxy schalt een discoversie van de nederpopklassieker 'Venus', verder is er niets veranderd. Dit keer zie ik Noi meteen, ze staat in een goudkleurige bikini landerig te dansen rond een chromen paal. Ze ziet er niet uit alsof ze het voor haar plezier doet. Ik heb in alle drukte niet kunnen bedenken wat ik tegen haar ga zeggen. Dat blijkt ook niet nodig, zodra ze me ziet duikt ze het podium af, rechtstreeks in mijn armen. Ze klemt zich aan me vast en blijft maar herhalen dat ze *too much* van me houdt.

Ik ben een beetje beduusd van de hartelijke ontvangst, maar krijg de kans niet haar met gelijke munt terug te betalen. Een forse, behoorlijk bezopen Australiër komt voor me staan en beweert dat ik zijn meisje probeer in te pikken. Hij rukt aan de kraag van mijn poloshirt. Mijn shirt scheurt. Klootzak. Ik graai een asbak van de bar en ram die in zijn gezicht. Zo'n metalen asbak met uitsparingen voor de peuken. Knal in zijn gezicht en dan ronddraaien. Zijn handen schieten omhoog om zijn ogen te beschermen. Dat levert een ideale positie op voor een knietje in de ballen en als we nu toch bezig zijn, waarom maar één? Altijd drie keer achter elkaar dezelfde stoot, zei oom Fleur, dan raak je altijd wel wat. De man zakt in elkaar.

Met lichte vertraging dringt tot zijn maten door wat er is gebeurd. Ze vloeken, schelden en dringen zich op in mijn richting. Noi kiest het moment om mijn arm vast te grijpen en te gillen alsof het luchtalarm afgaat. Ik ruk me los, gris een bierfles van een tafel en sla die op de bar kapot. Een gevecht tegen meerdere tegenstanders, zei oom Fleur vaak, is in feite makkelijker dan tegen één of twee. Tenzij het om een getraind commandoteam gaat zullen ze elkaar vooral in de weg lopen. Je beste optie is om onmiddellijk de grootste te grazen te nemen, en wel zodanig drastisch dat je de rest ontmoedigt. Vervolgens maai je als een gek om je heen en ziet maar wat ervan komt.

De grootste van het stel is in dit geval erg groot. Een verdomde olifant. Hoe pakt een circusdompteur zoiets aan? Die heeft een stoel. Ik heb geen stoel, maar wel een barkruk en stoot die met de poten vooruit recht tegen de neus van de reus. *Another one bites the dust.* Op deze manier kunnen we nog wel even doorgaan, maar net als het gezellig wordt komen de Thai de zaak verpesten. Vijf of zes uitsmijters verschijnen op het toneel, derderangs gangsters en bottenbrekers die graag laten zien hun loon waard te zijn door zo nu en dan een *farang* in elkaar te schoppen. Ze zullen me met plezier onder handen nemen.

En zo ben ik beland in een klassiek Thai cliché: grote sterke westerling zoekt ruzie in Thai bar. Hij kan boksen of karate, weegt dertig kilo meer dan de gemiddelde Thai en heeft absoluut geen schijn van kans. Dat heeft niets met het befaamde Thai boksen te maken maar alles met de beruchte Thai mentaliteit. Het concept van een eerlijk gevecht is volkomen onbekend. Krijg je problemen met één Thai, dan heb je er onmiddellijk tien op je nek. Bovendien willen ze niet zozeer een gevecht winnen, ze willen je afmaken, aan stukken scheuren en aan de honden voeren. Ze gebruiken even makkelijk messen, gebroken flessen en vuurwapens om het lulligste conflictje mee te beslechten. Die vriendelijke, zachtaardige Thai behoren tot de meest gewelddadige volken ter wereld. Maar ze blijven wel glimlachen.

Ik ben geen toerist. Ik weet die dingen. Toch sta ik hier in een bar in Patpong, omringd door hordes bloeddorstige vijanden, met een stuk van een barkruk in één hand en een gebroken bierfles in de andere. Dit ziet er niet goed uit, maar ik ben hier niet de enige die klappen gaat krijgen. Kom maar op, *let's rock-'n-roll.*

De uitsmijters sluiten me in en staan op het punt met het sloopwerk te beginnen als ze worden onderbroken door een hoge, schelle stem die een stortvloed van boze woorden op hen laat neerdalen. Blijkbaar overtuigend, want ze aarzelen. De stem schakelt over op Engels en ik realiseer me dat het mijn babysitter in eigen persoon is.

'Hello boss, no worry, Mister Joe solve problem already.'

Hij dringt zich naar voren, pakt mijn hand, schudt die uitgebreid en trekt tegelijk een grimas die minachting moet uitdrukken in de richting van de uitsmijters.

'This very stupid people,' verklaart hij luidkeels, 'not know about good friend boss.'

Het malle mannetje beschikt blijkbaar over voldoende autoriteit. De belediging wordt genegeerd en niemand legt hem een strobreed in de weg.

'Better we go,' zegt hij, 'go place, no have stupid monkey.'

Mister Joe heeft er echt lol in, als je goed luistert hoor je tanden knarsen, spieren kraken en adem stokken, maar hij vertoont geen enkel teken van nervositeit. Hij snauwt iets tegen de portiers, die de kring weer wat nauwer maken, maar nu met de gezichten naar buiten gekeerd. In gesloten formatie begeleiden ze ons naar de uitgang. De nog steeds opgewonden Australiërs begrijpen de hint en druipen af.

Wow, dat zal me leren rare Thai-Chinese mannetjes te onderschatten. Blijkbaar heb ik die neiging met Aziaten. Met Noi ook al... Shit, Noi, waar is Noi gebleven? De laatste keer dat ik haar zag hing ze gillend aan mijn arm terwijl ik probeerde een wapen te vinden. Helemaal vergeten, mijn eigen *femme fatale*, aanleiding voor menige veldslag. Terug naar binnen. Mister Joe houdt me tegen. Als ik wil zal hij later teruggaan en met Noi praten, biedt hij aan. Op dit moment is het toch echt verstandiger hier niet te blijven rondhangen en zo snel mogelijk terug te gaan naar het hotel. Daar heeft hij vermoedelijk gelijk in.

In het restaurant van het hotel treffen we CallmeTony aan achter de resten van een uitgebreide maaltijd. Mister Joe legt omstandig uit wat er is gebeurd. CallmeTony zegt niets en glimlacht. Wat kan hij anders doen? Het is de beroemde Thai glimlach, bruikbaar voor alle situaties in het leven, de smeerolie van de dagelijkse omgang en het laatste wat je ziet als ze je keel doorsnijden. CallmeTony's glimlach oogt wat vermoeid, maar wat hij ook denkt, hij houdt zich in. Blij met de situatie is hij niet. Zijn opdracht luidt om rust en orde te handhaven en mij uit de problemen te houden. Dat is niet goed begonnen. Een dronken, agressieve *farang* op zichzelf is in Patpong niet opvallend, Mister Joe's interventie was dat wel. Iedereen weet nu dat deze agressieve *farang* onder bescherming staat. Discreet is anders, dat geef ik toe, maar ik kan moeilijk wekenlang op m'n hotelkamer blijven zitten. Dat begrijpt CallmeTony ook nog wel. Hij denkt even na en komt dan met een mooie Thai oplossing: 'I think, better you go holiday,' zegt hij.

Uit zijn mond klinkt het meer als een bevel dan een vriendschappelijk advies, maar ik zal er niet moeilijk over doen. Als ze willen dat ik op vakantie ga, dan ga ik op vakantie. Maar zeker niet in mijn eentje. CallmeTony heeft het al begrepen.

'Ok, I go speak girl.'

Precies, dat bedoel ik.

6

We zitten in de schemering op de veranda van onze luxe bungalow met uitzicht op zee. Palmbomen omzomen het pri-
véstrand. Het fijne, witte zand waar het eiland om bekend staat,
glanst in het licht van de volle maan. Het enige geluid komt van
de cicaden en het breken van de golven op het strand. We zitten midden in een brochure voor tropische vakanties, alleen de
joint in mijn hand valt uit de toon.

Een ruime week verblijven we nu op het eiland en Noi wijkt
niet van mijn zijde. Ze zit het liefst vlak naast mij, met haar
hand op mijn been en haar hoofd op mijn schouder. Ze schenkt
mijn drankjes in en luistert bewonderend en aandachtig naar
ieder woord dat ik zeg. Ik ben de knapste, slimste en meest vi-
riele kerel in het universum. Als je dat vaak genoeg hoort dan
ga je het nog geloven ook. Dat van die viriliteit zou kunnen
kloppen. Mijn geliefde kan er maar niet genoeg van krijgen en
met enige inspanning kan ik het bijhouden. Ik sta er zelf ver-
steld van.

We vrijen op de stranden en de velden, we vozen in de bossen en de heuvels, we rotzooien in de bosjes en op de veranda, we neuken tegen de klippen op, we bedrijven zelfs de liefde
op de akelig harde matras in de bungalow. Van die stranden is
maar bij wijze van spreken. Inderdaad hebben we het één keer
op het strand gedaan, rond middernacht op het beroemde fijne, witte zand. Heel romantisch, maar niet voor herhaling vat-
baar: dat prachtige zand kwam nog dagenlang uit al onze li-
chaamsopeningen.

Over de seksuele service geen klachten, ze is een enthousiaste en ervaren minnares. Ook de rest van haar gedrag is vlek-
keloos. Ze vraagt weinig onderhoud en is blij om er eens uit te

zijn. Verder is er op het eiland weinig te doen. Ik sta vroeg op en heb een ochtendritueel ontwikkeld. Eerst wandel ik over het smalle paadje naar het restaurant voor een kop koffie. Daarna een half uurtje zwemmen, wat *push-ups*, een paar keer optrekken aan een boomtak en dan op de veranda met een eerste joint. Nois ochtendritueel bestaat uit slapen, slapen en nog eens slapen. Na de joint loop ik terug naar het restaurant voor een stevig ontbijt van *bacon and eggs*. Elke dag kies ik een ander deel van het eiland en verken de omgeving totdat het tegen de middag te heet wordt.

De oostkust bestaat uit een reeks baaien en stranden, de een nog mooier dan de ander. Het water is azuurblauw, met een temperatuur van ongeveer zevenentwintig graden. Een paar honderd meter daarachter begint de jungle. Via kronkelpaadjes ben ik een keer naar de westkust gelopen en trof daar een schitterend, maar volstrekt verlaten strand aan. Dat mysterie werd opgehelderd toen ik het water inging: kwallen, miljoenen kwallen.

Tegen de tijd dat ik uitgehongerd terugkom ontwaakt Noi net langzaam uit haar coma en is het hoog tijd voor de lunch. Het enige nadeel van Thai voedsel is dat de porties zo klein zijn. Ik heb zeker drie gerechten en een flinke kom rijst nodig. Noi eet als ontbijt een kommetje rijstsoep. De middag brengen we door op het strand of rotzooiend in de bungalow. 's Avonds zitten we op de veranda of in het restaurant. Al met al is de gedwongen vakantie best uit te houden.

Voordat deze wittebroodsweken konden beginnen moest er het een en ander geregeld worden. CallmeTony hield woord. Hij maakte een praatje met de bedrijfsleider van de Roxy, maakte een praatje met Noi en de volgende dag stond ze bepakt en bezakt voor mijn neus op de stoep van het Phoenix Hotel. Letterlijk bepakt en bezakt. Barmeisjes hebben meestal niet veel bezittingen, maar alles wat ze bezat aan kleren en vooral schoenen moest mee op vakantie. Een fatsoenlijke koffer zat er niet in en dus had ze de hele zooi in een tiental plastic zakken gepropt, waaronder zeker vier tassen met schoenen. Iemand moet me toch eens uitleggen hoe het komt dat leuke meiden altijd bergen schoenen bezitten, zelfs als ze geen cent te makken hebben. Schoenen zijn duur, duurder dan jurkjes, bloesjes, sjaaltjes, lingerie en dergelijke, maar dat zal ze niet verhinderen nog maar eens een paar te scoren. Kwestie van prioriteiten blijkbaar.

Voordat we vertrokken brachten we een avond in het Phoenix Hotel door. Ik was benieuwd of Noi als gevolg van de verwikkelingen anders tegen me zou aankijken. Ga maar na, eerst veroorzaak ik een knokpartij en in plaats van mij ter plekke te demonteren begeleidden de portiers me beleefd en veilig naar buiten. Even later komt een overduidelijke Thai gangster vriendschappelijk met haar baas praten. Die geeft haar vervolgens, geheel tegen zijn gewoonte in, zonder morren een maand vrij, drukt haar op het hart zich vooral goed te gedragen en verzoekt haar als het zo uitkomt, een goed woordje voor hem te doen. Haar *crazy farang* is duidelijk een probleemgeval, maar dan wel een met connecties.

Het meest was ze onder de indruk van het feit dat haar baas van de *barfine* afzag. Wie een barmeisje meeneemt betaalt normaal gesproken een *barfine*, een bedrag van ongeveer vierhonderd baht, een kleine twintig dollar. Voor de nacht wel te verstaan. Voor langere perioden zijn er kortingen, maar als het meisje ooit nog wil werken in dezelfde bar kan het flink oplopen.

'I think, you maffia,' zei ze zodra we alleen op de kamer waren.

Ik probeerde uit te leggen dat de maffia een conservatieve Italiaanse familieorganisatie is, waarmee ik absoluut niets te maken heb. Mijn Thai maat kende toevallig een hoop mensen en was zo vriendelijk tussenbeide te komen. Dat was alles.

Ze luisterde niet eens. 'I think, maffia good,' zei ze. 'Thai maffia good.'

Een onverwachte uitspraak. Waarom vond ze dat?

'Sometime help poor people.'

Dat heb ik vaker gehoord. Van de favela's van Rio tot de sloppen van Delhi, van Lagos tot Caïro, van Chicago tot Bangkok, overal waar corrupte overheden de allerarmsten uitsluiten, staan andere boeven klaar om een deel van de taken over te nemen. Het kost niet veel om een paar generatoren aan de wijk te doneren en stromend water aan te leggen. Daar krijgt men loyaliteit en zwijgzaamheid voor terug. Een goede investering.

Wat Noi betrof waren de boeven helden en een deel van die glorie straalde nu op mij af. Met het oog van een kenner inspecteerde ze de kamer. Vooral het grote tweepersoonsbed, de overmaatse televisie en de badkamer konden haar goedkeuring wegdragen. Langzaam begon ze zich uit te kleden en maakte wat elegante danspasjes.

'Maybe Noi take bath,' zei ze.

Ze kwam vlak voor me staan en liet met haar billen draaiend de laatste kledingstukken vallen terwijl ze me uitdagend over haar schouder aankeek. Dat soort goedkope trucjes werkt bij mij altijd. Ik trok haar naar mij toe, we hadden na die eerste nacht lang genoeg moeten wachten, maar nu waren alle obstakels opgeruimd. Alle? Toch niet. Saigon Rose, bijna vergeten. Dat bad mocht ze nemen. De rest moest helaas wachten. Eerst langs de kliniek voor een *Ray special*.

Noi gaf geen krimp. Wel schoof ze later wat ongemakkelijk heen en weer op de achterbank van de auto. CallmeTony had goedgunstig de verhakkelde Datsun afgestaan voor onze vakantie. Ik begon aan het ding gehecht te raken. Zelf rij ik niet in Thailand, de regels van het spel zijn me niet bekend. Bovendien, wie daaraan begint moet zichzelf eerst dit afvragen: 'Wil ik werkelijk rijden in een land waar iedereen gelooft in reïncarnatie?'

Het antwoord is nee.

Ik was dus blij dat mijn vriend Mister Joe meeging als chauffeur. Onze vakantiebestemming: Ko Kaew Phitsadan, een eiland tweehonderd kilometer ten oosten van Bangkok. Ongeveer twee keer zover als Pattaya en gezien de rijstijl van Mister Joe ging de tocht de hele dag duren. Om de tijd te doden had hij een cassette meegebracht. Amerikaans popmuziek, zei hij trots, *Greatest Hits*. De reis zou lang genoeg duren om alle nummers zeker vier keer te horen.

We maakten er een gezellig uitstapje van: keurige, oudere Thai middenstander laat samen met volwassen dochter de *farang* schoonzoon kennismaken met het platteland. De oude heer kent de weg. Ze stoppen bij lokaal beroemde restaurants, mooie *viewpoints* en lieflijke baaien. Een gelukkige familie, maar zelfs de oude vader is minder onschuldig dan hij lijkt. Ik vroeg hem een keer of hij een vuurwapen bij zich droeg.

'No like,' antwoordde hij, 'too much noise.'

Merkwaardig antwoord, het leek me beter er niet verder op in te gaan.

Voor we vertrokken kon CallmeTony melden dat het mysterie van het verdwenen zeiljacht intussen was opgelost. Het schip vertrok keurig op tijd vanuit Songkhla met matig tot krachtige wind en een bemanning van drie koppen: de kapitein en twee Thai. Mick werkte al jaren met dezelfde kapitein, een nogal mysterieuze Noor die overal heel toepasselijk bekend stond als The Captain zonder dat iemand zijn echte naam of zelfs maar een alias kende. Een man die je nooit hoorde of zag, tenzij het over boten ging, een man die zich nergens mee bemoeide en geen drugs of alcohol gebruikte. Kortom, een zonderling, maar wel een vakbekwame en betrouwbare zonderling.

Toch maakte hij ondanks al zijn ervaring een fundamentele fout: voor het korte tochtje van Songkhla naar Pattaya huurde hij twee onervaren hulpjes in. De echte bemanning zou later aan boord komen. Zolang ze op de motor voeren, viel het nog mee, maar toen hij halverwege de Golf van Siam de zeilen wilde testen bleken de Thai niet eens bij benadering in staat zijn instructies op te volgen. Waarschijnlijk bevonden ze zich voor het eerst van hun leven aan boord van een zeiljacht. Bovendien lieten ze tegen zijn uitdrukkelijke bevelen in overal op het dek rommel rondslingeren.

Net op het moment dat ze de wind in de zeilen kregen, struikelde The Captain over de restanten van een mangosalade met gedroogde garnalen. Hij viel een meter naar beneden en bleef roerloos liggen met zijn rechterbeen in een foute hoek. In de halve minuut dat hij buiten westen was kregen de Thai het voor elkaar het schip verkeerd van de wind af te draaien. De giek zwaaide met geweld van rechts naar links over het schip. Een van de Thai kreeg de houten balk tegen zijn hoofd, het zeil scheurde. De kapitein kwam net op tijd weer bij kennis om de ander toe te schreeuwen het stuurwiel terug te draaien en zo het schip te redden.

Met een beenbreuk voor The Captain, een flinke hersenschudding voor een bemanningslid en een gescheurd grootzeil zat doorvaren er niet in. Door de klap bleek ook nog eens de communicatieapparatuur kapot. Ze mochten blij zijn als ze veilig aan wal konden komen. De Koninklijke Thai Kustwacht voorkwam erger. Een patrouilleboot merkte de gescheurde zeilen op en ging poolshoogte nemen. Na eerste hulp te hebben verleend sleepten ze het schip naar Hua Hin, een badplaats zo'n honderd kilometer ten zuiden van Bangkok.

Daar ligt The Captain nu in het ziekenhuis met stangen en gewichten aan zijn been. Volgens de artsen betreft het een gecompliceerde, meervoudige beenbreuk en moet hij minstens een half jaar revalideren. Ze zullen het wel weten, Hua Hin is de favoriete badplaats van de koninklijke familie dus de medische voorzieningen zijn ongetwijfeld in orde. De *Sea-Horse* ligt aan de ketting. Voordat het schip wordt vrijgegeven moet eerst de rekening van de kustwacht worden voldaan en mogelijk een paar vragen beantwoord. Een mooi klusje voor CallmeTony.

Zo wisselen we een mysterie in voor een praktisch probleem. Prettig om te weten dat er geen samenzwering achter zat, maar een beschadigd jacht zonder kapitein is nog steeds geen geschikt vehikel om zes ton wiet onder het oog van de Gestapo over ruim drieduizend zeemijl van Thailand naar Australië te vervoeren.

*

De boten naar Ko Kaew Phitsadan vertrekken vanuit Ban Hoi, een tot voor kort slaperig vissersdorp, dat zich tegenwoordig steeds meer op de toeristen richt. Mister Joe liet weten dat hij en de Datsun op het vasteland achterbleven. De onverharde paden op het eiland zijn niet geschikt voor personenauto's en Mister Joe zelf ging liever een paar oude kennissen opzoeken. De jongelieden moesten zich vooral gaan amuseren, hij redde zich wel. Daar twijfelde ik niet aan. We spraken een manier af om contact te houden en gingen aan boord.

Het grootste nadeel van reizen op het platteland is het ontbreken van fatsoenlijke voorzieningen. In de loop der jaren heb ik voor mijn werk genoeg landelijke gebieden bezocht en het is altijd dezelfde ellende: nergens een Hilton, Sheraton of andere fatsoenlijke vijfsterrenfaciliteit te zien en als ik ergens een hekel aan heb, is het om bij aankomst op een onbekende plek naar een hotel te moeten zoeken. Buiten de grote steden is het hoe dan ook een ramp. Doodmoe, vies en bezweet strompel je bij een temperatuur van boven de dertig graden van hotel naar hotel, van guesthouse naar guesthouse en je prevelt telkens dezelfde mantra:

'You have room?'

'Have.'

'Can I see room?

'Can.'

En dan inspecteer je de kamer, draait de kranen open en dicht, trekt het toilet door, test de matras en komt tot de conclusie dat het drie keer niks is. Je probeert het een deur verderop. Daar is het nog erger. Na vijf verschillende plekken bekeken te hebben wordt duidelijk dat de eerste veruit de beste was. Daar zijn intussen alle kamers verhuurd.

Om dat soort narigheid te voorkomen had ik vanuit Bangkok een bungalow op het eiland laten boeken. 'Bungalow' klonk goed. Het riep visioenen op van ruime koele kamers met plafondventilatoren, witte muren, parketvloeren en onberispelijke gazons. Niet dus. Wat ze hier bungalows noemen zijn een stel armzalige bamboehutten met wrakke veranda's, honderd meter achter het strand tegen de heuvel gebouwd. Sommige hebben een eigen toilet in de vorm van een betonnen aanbouwsel met een gat in de grond, de meeste moeten het doen met gezamenlijke toiletten. Twee douchegebouwtjes bedienen tientallen hutten. Op het eerste gezicht een behoorlijke afknapper.

Maar er hangt verandering in de lucht. De backpackers en Thai studenten ontdekten het eiland een paar jaar geleden, voor hen moest de accommodatie zo goedkoop mogelijk zijn. De laatste tijd komen steeds meer jonge professionals en families uit Bangkok voor weekenden en vakanties. Voor die groep nieuwe klanten wordt aarzelend meer luxe-accommodatie gebouwd. Dat het eiland formeel nog steeds de status van natuurreservaat heeft, is iedereen voor het gemak vergeten.

Onze eigen hut zou je bijna een bungalow kunnen noemen. Nog maar een paar weken geleden voltooid, gebouwd van echt beton, aparte toiletruimte, stromend water en zelfs elektriciteit via een aggregaat. De veranda is ruim en stevig. En dus zit ik hier in de schemering bier te drinken en joints te roken met uitzicht op een tropische baai en een exotische schone aan mijn zijde.

Noi zegt dat ik te veel rook zo vroeg op de avond, we moeten nog op visite. Kijk, dat is nou de reden dat een leuke jongen als ik nog vrijgezel is. Voor je het weet laten ze je opzitten en potjes geven, net als vroeger het ouderlijk gezag. Niet te veel roken. Op visite. Recht op je stoel zitten met een kopje thee in de hand, pink omhoog. Niet meer dan één koekje nemen. Met twee woorden spreken. Visite. Op audiëntie bij het koninklijk echtpaar zal ze bedoelen. Jürgen en Som hebben ons uitgenodigd voor het diner als dank voor mijn EHBO-kunsten eerder op de dag.

'Him name Dieter,' zegt Noi, 'no Jürgen.'

Nou ja, Hans, Dieter, Jürgen, zo'n generieke Duitse naam in ieder geval.

Die gozer viel me al op toen we aankwamen. Een magere, diep gebruinde *farang* van een jaar of veertig met lang blond haar. Samen met een paar Thai booteigenaren hing hij rond op de kade van Ban Hoi. De Thai sneden elkaar zowat de keel af in hun pogingen zoveel mogelijk passagiers voor het eiland in hun boot te krijgen. De *farang* probeerde de zaak in goede banen te leiden door te zorgen dat alle boten ongeveer evenveel klanten kregen. Hij sprak zo te horen vloeiend Thai en leek goed bevriend met de booteigenaren.

Van de eigenaresse van het restaurant hoorden we later dat het een Duitser is die al ruim twee jaar samenleeft met een meisje van het eiland. Haar familie heeft geen bezwaar tegen de verbintenis. Ze bezitten land en de Duitse schoonzoon maakt zich nuttig bij het ontwikkelen van het luxe-resort dat ze willen bouwen. Ze mikken op welgestelde westerse toeristen en begrijpen heel goed dat een westerse adviseur onmisbaar is. Voorlopig tenminste. Thai leren snel en Thailand is voor de Thai. Iets om te onthouden als je hier zaken doet.

Som kleedt zich als een westerse hippie. Een ongebruikelijk gezicht want Thai hippies zijn zeldzaam en vrouwelijke Thai hippies nog veel zeldzamer. Vanuit een stalletje op het strand verkoopt ze zelfgemaakte sieraden, kleurige sarongs en schelpen aan jonge toeristen. Van onder het stalletje levert ze *ganja* aan diezelfde jonge toeristen. Vreselijk spul. Noi heeft eens wat voor me gehaald om te proberen. Gelukkig heb ik mijn eigen voorraad.

Voor de backpackers zijn Dieter en Som de *king and queen* van het eiland. Zelf ben ik geen aanhanger van de monarchie. Visite is tot daar aan toe, audiëntie is een brug te ver.

Noi zegt dat ze vast heel aardig zijn. Ze heeft er echt zin in, kan ze eens met een ander meisje met een *farang*-vriend praten in haar eigen taal. Meiden onder elkaar, lekker roddelen. Ik gun het haar, maar ze moet wel weten dat het een hele opoffering van mijn kant is. En dat allemaal omdat ik vanmiddag de koninklijke dynastie heb gered.

We zaten voor de verandering niet op ons eigen strandje, maar op het grote strand niet ver van het restaurant. Ik lag op te drogen in de zon terwijl Noi zich zo ver mogelijk in de schaduw terugtrok om haar huid vooral niet aan de zon bloot te stellen. We kwamen net uit het water. Een meisje van Nois beroep zou wel een stel heel sexy bikini's bezitten zou je denken. Tot mijn verbazing vertoonde ze zich op het strand gekleed in een sportbroek tot aan haar knieën en een lang T-shirt met een beha eronder. Naar Thai maatstaven op het randje, begreep ik. Zwemmen kon ze niet. Ik nam haar een keer op mijn rug mee de zee in, haar armen losjes om mijn nek. Dat was tenminste de bedoeling. Uit pure angst wurgde ze me bijna. De zee is niet aan haar besteed.

De luxe waarin we hier leven des te meer. In het restaurant bestelt ze steevast de duurste gerechten om daar dan vervolgens nauwelijks iets van te eten.

'Je houdt meer van mijn geld dan van mij,' klaagde ik een keer.

'Love your money, love you. Same same,' antwoordde ze vlot.

Te vlot. Ze sloeg de hand voor haar mond en keek me geschrokken aan.

Een dapper meisje. Even slikken, maar ze had natuurlijk volkomen gelijk.

'Love your pussy, love you. Same same,' antwoordde ik met een zo vriendelijk mogelijke glimlach.

Ik heb nog nooit een Thai zo verbaasd zien kijken. Na een paar seconden begon ze te lachen, een opgeruimde, vrolijke lach. 'Love your pussy, love you, same same,' herhaalde ze een paar keer en begon iedere keer opnieuw te lachen. Toen ze eindelijk weer normaal kon praten verzekerde ze me dat ze *too much* van me hield, ook al was ik gek.

Door het geruis van de branding en de warmte van de zon was ik half in slaap gevallen, toen hysterisch gegil de vrede op het strand verstoorde. Ik kwam overeind en zag bij de branding een groepje mensen staan.

'Wat roepen ze allemaal?' vroeg ik aan Noi.

Ze kon het niet goed verstaan. Iemands voet was afgesneden of zoiets. Voet afgesneden? Dat moest ik zien. Midden in het groepje omstanders zat een Thai vrouw op de grond. Ik herkende Som, de helft van het koningskoppel. Haar voeten leken me stevig genoeg aan haar enkels vast te zitten, maar de rechter bloedde zwaar. Op een stuk koraal gestapt. Ik hurkte neer en bekeek de schade. Het leek erger dan het was, veel bloed en rafels, maar de sneden waren niet diep en pezen of spieren niet doorgesneden. Het grootste gevaar zat in een mogelijke infectie. Ik vroeg Noi mijn plastic toilet tas en twee flessen water te halen, hees Som op mijn schouder en zette haar op een stoel van het restaurant. Met schoon water spoelde ik het zand en bloed van haar voet, knipte met een schaartje de vellen weg en goot alcohol op de wonden. Daarna een laag vette, antibiotische zalf over de hele voet, verbinden en ze was weer zo goed als nieuw. Gedurende de hele operatie vertrok ze geen spier.

'You same doctor,' zei Noi.

Nauwelijks, maar voor hospik heb ik vaker gespeeld en mijn eerste vleeswond was het ook niet.

Later die middag stond Dieter op een wat ongelegen moment bij ons op de veranda. We kleedden ons snel aan en ontvingen het hoge bezoek in ons nederige onderkomen. Dieter was mij zeer dankbaar, vertelde hij, zulke wonden ontsteken en infecteren makkelijk in dit klimaat. Voor je het weet leidt een klein wondje tot tropenzweren of bloedvergiftiging. Dankzij mijn ingrepen is Som nu prima in orde. Ze zijn nog bij een arts op het vasteland geweest en die was vol lof over mijn medische kwaliteiten. Als dank wilde Dieter ons graag uitnodigen voor het diner. Som is de beste kok die hij kent, zei hij. Als ik een liefhebber van de Thai keuken was mocht ik haar kip met *Holy Basil* en vooral haar *Somtam* niet missen. Het klonk overtuigend.

Noi maakt zich druk over wat ze aan moet trekken. In feite, zegt ze, heeft ze helemaal niets om aan te trekken. Ze wil goed voor de dag komen. Som en Dieter mogen vooral niet denken dat ze een ongemanierde straatmeid of boerentrut is. Ik zeg dat niemand met een halve hersencel dat ooit zou kunnen denken. Noi heeft een natuurlijke gratie waar de gemiddelde filmster niet aan kan tippen. Ze moet gewoon zichzelf zijn en zich vooral niet overdreven op gaan tutten.

Spijkerbroek of sarong, vraagt ze. Ik zie haar het liefst in een sarong, zeg ik. Zij denkt dat de spijkerbroek misschien toch beter is. De keuze van een passend shirt is nog problematischer: niet te braaf, het zijn uiteindelijk hippies, maar vooral ook niet te bloot. Noi krijgt er hoofdpijn van en dan moet ze zich ook nog opmaken.

Ze trekt zich terug in de bungalow om zich te beraden. Na een eeuwigheid roept ze me binnen voor advies. Ze staat keurig opgemaakt, maar naakt voor de spiegel, met een drietal verschillende shirts in aanslag. Welke moet het worden? vraagt ze. Wat mij betreft blijft ze gewoon naakt, zeg ik en pak haar vanachter vast. Zachtjes maakt ze zich los. Daar hebben we nu geen tijd voor. Ze heeft net lippenstift en nagellak aangebracht, ze moet zich nog aankleden en wat staat haar beter: wit, geel of rood? Wit, zeg ik, en dan verlaat ik het vertrek

Terwijl ze de laatste hand aan haar uiterlijk legt, rook ik nog een joint op de veranda. Van avondkleding heb ik afgezien, een schone polo, sandalen en een bermuda zijn goed genoeg. Een tropisch strand is de enige plek waar een volwassen man zich kan vertonen in een korte broek. Even later staat mijn geliefde in de deuropening met een strakke spijkerbroek, zwarte sandalen met hoge hakken en een felrood shirt dat haar linkerschouder bloot laat.

'Noi look ok?' vraagt ze onzeker.

'Ok' is in dit geval een understatement.

*

Dieter wacht op de veranda, gekleed in sarong en singlet en ik voel me behoorlijk *overdressed*. Het koninklijk paleis ligt vlak bij de pier op een kwartiertje lopen van ons restaurant. Een prettige wandeling langs het strand. Noi moest wel haar sanda-len in de hand houden om niet in het zand weg te zakken. Die-ter heeft het huis zelf ontworpen, vertelt hij. Hij ging uit van een eenvoudig betonnen casco waaraan de Thai niks konden verpesten en liet dat voorzien van een ruim uitstekend dak en een brede veranda aan alle kanten. Het loodgieterswerk nam hij zelf ter hand en zo hebben ze als enigen op het eiland warm en koud stromend water. De keuken is in een aangrenzend ge-bouwtje gevestigd. Er hangen verschillende ventilatoren aan het plafond, op alle vensterbanken staan potten met orchidee-en. Rondom het huis is een grote moestuin. Dieter ziet me kij-ken.

'Alles uit eigen tuin,' zegt hij, 'groente, kip, vis, fruit, krui-den. Alles behalve rijst, olie, noedels, dat soort dingen.'

Het is een aangename omgeving. Ruim, koel en vriendelijk, een combinatie van Thai elegantie en Duits pragmatisme. Dat zie je zelden. Dieter en Som verdienen een compliment.

'Je hebt het hier goed voor elkaar, man,' zeg ik.

'Het is beter dan de wilde vaart of werken in een fabriek,' antwoordt Dieter, 'maar hier valt het ook niet altijd mee.'

'Waar wel?'

'Daar heb jij weer gelijk in,' zegt Dieter, 'laten we hier dan maar op de veranda gaan zitten met een drankje en een joint. Kunnen we samen klagen over Thailand, terwijl de dames zich samen over ons beklagen.'

Die gozer valt me honderd procent mee.

Som komt aangehobbeld met een kruk onder haar arm. Ei-genlijk hoort ze te rusten met haar voet omhoog, maar ze moet toezicht houden in de keuken en dat gaat voor. Ze kust mijn wang, maakt een *wai* voor Noi, pakt haar bij de hand en neemt haar mee naar binnen. Dieter trekt een gezicht en overhandigt mij een brandende joint. Ik ruik wantrouwig aan het ding. Die-ter schiet in de lach. Geen zorgen, verzekert hij mij, dat is niet hetzelfde spul dat ze op het strand verkopen. Godzijdank, het zal je toch gebeuren dat je uit beleefdheid die troep moet mee-roken. Ik vraag Dieter hoe hij hier terecht is gekomen.

Hij is Duitser, vertelt hij. Dat was me al opgevallen. Geboren net na de oorlog, geen goede tijd om als Duitser geboren te worden. Zolang hij zich kan herinneren wilde hij weg. Hij bezocht de zeevaartschool, behaalde diploma's als stuurman en *Mechaniker* en monsterde aan op de wilde vaart. In de havensteden die hij aandeed ontwikkelde hij een voorkeur voor exotische landen en exotische drugs. Na verloop van tijd realiseerde hij zich dat in de meer afgelegen delen van de wereld zijn Duitse diploma's behoorlijk waardevol waren. Hij verliet de wilde vaart en ging werken als monteur op booreilanden, waar in die tijd astronomische salarissen werden betaald.

Terwijl Dieter vertelt, steekt hij onafgebroken nieuwe joints aan die inderdaad van heel acceptabele kwaliteit zijn. Ik haal mijn eigen voorraad tevoorschijn en biedt aan daarvan te draaien. Dieter snuffelt op zijn beurt wantrouwig aan de wiet die ik onder zijn neus houdt en kijkt me dan aan.

'Als dit zo goed is als het ruikt...'

'Nog veel beter,' schep ik op.

Dat is hij na de eerste trekjes met me eens en nu zit hij zich af te vragen waar ik het spul vandaan heb en wat het betekent dat ik hier betere wiet kan krijgen dan hij.

De dames voegen zich bij ons. Som pakt de joint van Dieter aan, neemt een paar trekken en wil hem doorgeven aan Noi. Die kijkt verlegen en zegt iets in Thai.

'Ze wil best wel roken, maar ze is bang dat jij het niet goed vindt,' vertaalt Som. 'Veel kerels willen niet hebben dat hun vriendin rookt of drinkt. Ze mag wel in haar blote reet op een podium staan en aan iedere voorbijkomende lul zuigen, maar ze mag niet roken. Ben jij ook zo'n zak?'

Zelfs al was ik dat, dan is dit niet het moment om dat toe te geven. Dieter grijnst, Som geeft de joint door en Noi neemt een paar bescheiden trekjes. Nooit bij me opgekomen dat ze ook zou willen roken.

'Tegen de tijd dat Som met haar klaar is, heb je een radicale feministe in je bed,' zegt Dieter.

Nou ja, zolang ze nog in mijn bed ligt, kan ik er wel mee leven.

Tijd voor het eten. Thai voedsel is altijd te zout, te zuur, te zoet of te scherp en meestal allemaal tegelijk. Samen met grote hoeveelheden van het bittere Singhabier zorgt dat voor een narcotisch effect. We eten rauwe garnalen met knoflook, rode peper en bittere meloen, vastgeknoopt in citroengras. Als ik een pakketje in mijn mond steek, ontploffen de smaken op mijn tong. Rauwe garnaal, in dit klimaat, is dat wel verstandig, vraag ik mij af. Volgens Dieter is het geen enkel probleem. Deze garnalen zijn zeer onlangs overleden. Verser bestaat niet.

Hij schenkt voor iedereen nog wat bier in en wil zijn verhaal vervolgen. Noi laat weten dat ze eigenlijk helemaal niet van bier houdt. Som maakt hoogstpersoonlijk een rum-cola voor haar klaar.

Op de booreilanden verdien je zo idioot veel, vertelt Dieter, dat de meeste mensen maar vier maanden per jaar werken. De rest van het jaar geven ze hun geld uit op prettige plekken. Dieter pakte het anders aan. Hij had een uitgang ontdekt, weg van de mallemolen, weg van de loonslavernij. Vier jaar lang werkte hij ononderbroken door en gaf intussen geen cent uit. Zijn verdiensten zette hij tegen een gunstige rente vast op termijndeposito's bij betrouwbare Duitse banken. Hij woonde buiten het land en hoefde geen belasting te betalen. Na die vier jaar had hij genoeg om zijn vrijheid te kopen.

Ik schud het wijze hoofd. Als iemand beweert dat hij genoeg geld heeft, zie ik de bui meestal al hangen. Het is nooit genoeg, weet ik uit ervaring. Het lijkt misschien genoeg, maar het is het nooit. Alles is altijd duurder dan je denkt, vooral als er niets meer binnenkomt.

Daar is Dieter inmiddels ook achtergekomen. Zijn plan was om een groot motorzeiljacht te kopen, desnoods in slechte staat, en dat geschikt te maken voor charters in de Indische Oceaan, Andamanzee en de Golf van Siam. Die boot kocht hij op de Malediven van een failliete charteronderneming. Een tweemaster van honderd voet, of eigenlijk een voormalige tweemaster, want de hoofdmast ontbrak. Hij meende dat

Thailand de beste plek was om het schip te laten repareren en ging op zoek naar een geschikte werf.

Op tafel verschijnt een grote kom Tom Yam Kung, scherpe, zure garnalensoep. Eén van de beroemdste gerechten uit de Thai keuken, een soep die de doden op kan wekken. Dit is de authentieke versie. Vlammen slaan uit mijn mond, stoom komt uit mijn oren. Som en Noi giechelen.

O, vinden ze dat leuk? Kennen ze dan misschien toevallig een Thai grap? Ze begrijpen het niet. Thai kennen geen moppen zoals wij, zegt Dieter, hun humor is situatiehumor: een dikke, oude kerel met een snor in een strakke jurk, een ober die de laatste flessen bier in de weide omtrek kapot laat vallen, een *farang* die haast stikt in de Tom Yam, dat vinden ze leuk. Ze houden ook van woordspelletjes, maar daar begrijpt zelfs hij niets van, ook al spreekt hij heel behoorlijk Thai. Moeilijk te geloven, vind ik. In ieder land dat ik ooit bezocht worden moppen verteld, het lijkt me sterk dat het hier anders is.

Om te herstellen van de garnalensoep neem ik nog een fles bier. Noi geeft me een joint aan die al een tijdje onderweg was. We schakelen over op gerechten uit Issaan, het noordoosten van Thailand: Laab Ped, een lauwe salade van droog gebakken eend, groenten en kruiden, Gai Tong, goudgeel gebakken, knapperige kippepoten en natuurlijk weer de roemruchte salade van onrijpe papaja.

Dieter vond zijn werf, niet ver hier vandaan, maar ontdekte ook dat zijn berekeningen veel te optimistisch waren.

'Ken jij de juiste definitie van het woord boot?' vraagt hij.

Ik schud van nee.

'Een boot is een gat in het water waar je geld in giet.'

Dat klinkt als een realistische definitie.

Alleen al die mast kostte hem de kop. Dieter wist een hoop van boten, maar had nooit zelf de rekening hoeven betalen. Halverwege het project raakte zijn geld op en was hij gedwongen zijn droom met verlies te verkopen. Toch leverde de mislukking winst op. Hij raakte bevriend met de eigenaar van het werfje, werd uitgenodigd op de bruiloften en partijen en ontmoette daar de liefde van zijn leven: Som, een nichtje, achternichtje of tante van zijn vriend, dat bleef lang onduidelijk. Niet onduidelijk was de onmiddellijke aantrekkingskracht tussen de twee. Binnen vijf minuten namen ze samen de benen, doken het dichtstbijzijnde bed in en kwamen daar een week niet meer uit.

Intussen blijven de gerechten komen: onrijpe mango met gedroogde garnalen, dezelfde soort salade als waarover The Captain uitgleed, maar hier waarschijnlijk beduidend beter van kwaliteit. Kip met *Holy Basil* en zeebaars met een paar kilo knoflook erbovenop. Dieter stelt voor over te schakelen van bier op whisky. Let wel, zegt hij, geen Mekong, Thai rijstwhisky die gaten in je verhemelte en je lever brandt, maar echte Johnny Walker. Black Label nog wel. Ik vind alles best.

Dieter verdwijnt in het huis en komt terug met een mooie antieke opiumpijp en een kistje. Uit het kistje komt een bal opium en wat parafernalia.

'Roken?' vraagt hij.

Dat is een gewetensvraag. Ik ben niet zo'n ondankbare vent die genereus aangeboden drugs weigert. De enige uitzondering is heroïne. Eerlijk gezegd ben ik als de dood voor dat spul. Iedereen die wel eens met junks te maken heeft gehad, weet dat heroïne als een zwart gat alle levensvreugde opslokt. Wat overblijft is een wereld van lelijkheid, troosteloosheid, armetierigheid en ellende. Aan mij niet besteed. Erin handelen heb ik al helemaal nooit gedaan. Wetten worden meestal door politici bedacht om hun eigen belangen te dienen en kunnen mij niet boeien. Ik heb wel een paar eigen regels. Het langzaam vergiftigen van je eigen klanten is bovendien een typisch geval van slechte smaak. De jongens denken er precies hetzelfde over.

Maar opium is geen heroïne, en opium roken in Thailand is gewoon de zoveelste toeristische attractie. Iedereen doet het, dus waarom ik niet. Dieter begint een pijp klaar te maken. Tot mijn verbijstering drukt hij een paar aspirines fijn en mengt die door de opium.

'Zodat we straks geen hoofdpijn krijgen,' zegt hij.

Dat slaat natuurlijk nergens op. Ik heb geen idee wat er gebeurt als je acetylsalicylzuur verbrandt, maar gezond kan het nooit zijn en als preventie tegen hoofdpijn gaat het niet werken. Kan je beter gewoon een aspirientje slikken. Voor mij een portie zonder. Dieter prepareert een nieuwe pijp. Dat is een heel ritueel, een uitgebreide serie handelingen waarvan de helft overbodig lijkt. Het is me vaker opgevallen, hasjrokers met *chillums* en waterpijpen, junkies met naalden en lepels, cokesnuivers met scheermesjes en spiegels. Ze zitten eindeloos te klooien met hun spulletjes. Allemaal nergens voor nodig, maar voor de echte liefhebber is het ritueel de helft van de lol.

Voor mij geldt dat niet. Ik pak de pijp, zuig de rook naar binnen, houd die een tijdje in mijn longen en blaas uit. Mijn eerste opiumpijp. De rook smaakt zoet en wat vettig. Voorlopig merk ik nog niks. Dieter begint aan een nieuwe pijp, volgens hem moet je standaard drie pijpen roken voor een gemiddeld effect.

Het vermijden van heroïne heeft me nooit moeite gekost. Met coke ligt dat anders. Waar geld is, is coke en dus heb ik in de loop der tijd uit beleefdheid kilo's van die troep gesnoven zonder er werkelijk dol op te zijn. Voor de echte *aficionados* is het delen van hun geliefde poeder het toppunt van vrijgevigheid. De ontvanger van die vrijgevigheid wordt geacht waarderende opmerkingen over de kwaliteit te maken en daarmee aan te geven dat zijn gastheer wel een heel hippe vogel moet zijn om zulke uitstekende dope te serveren.

En verslavend is het niet, welnee, ze kunnen er ieder moment mee stoppen. In praktijk is coke de best mogelijke manier om verkeerde beslissingen te nemen. In de loop der tijd heb ik hele volksstammen welgestelde tandartsen, advocaten en beurshandelaren de controle over hun recreatieve gebruik zien verliezen om vervolgens in sneltreinvaart naar de klote te gaan. Sukkels. Ook in dit magische poeder hebben we nooit gehandeld, maar dat is eerder het gevolg van gezond verstand dan van principes. Het is een rothandel, beheerst door besnorde, tropische heren van het gewelddadig-paranoïde type. Helemaal niet Ons Soort Mensen, zegt David altijd.

Dieter geeft mij de tweede pijp aan. Ik rook en merk nog steeds niets. Wel is het rustiger geworden om mij heen. Bedienden hebben de tafel geruimd. Som en Noi zijn ergens binnen. Dieter heeft even niets te melden. De rust geeft me de gelegenheid eens op mijn gemak de zaken op een rijtje te zetten. Eigenlijk is het heel simpel: Dieter heeft een werf, wij hebben een kapotte boot, hij heeft stuurmanspapieren, wij zijn kapiteinloos. Dieter heeft geld nodig, wij kunnen hem een mooi salaris aanbieden. Als je die zaken met elkaar combineert is het probleem opgelost. Heb ik iets over het hoofd gezien? Alleen het Allereerste Gebod: praat nooit met buitenstaanders over zaken. Geen punt, hij staat overduidelijk aan onze kant en is na vanavond nauwelijks een onbekende meer. We moeten eens serieus met elkaar praten.

Verbazingwekkend hoe makkelijk je ingewikkelde problemen kunt oplossen als ze even niet aan je hoofd lopen te zeuren. Aan de opium kan het niet liggen, daar word je loom van of je ziet visioenen van draken en regenbogen, is mij altijd verteld. Nu ik toch bezig ben met helder denken, kan ik net zo goed wat andere wereldproblemen oplossen. Hoewel, zit daar iemand op te wachten? Die oude Chinese filosofen preekten dadeloosheid, zaken lossen zichzelf wel op en zo niet, jammer dan. Het is hier op de veranda knus en behaaglijk. Die wereldproblemen moeten maar even wachten.

De derde pijp. Nu merk ik direct iets, maar het is niet het effect waar ik op zat te wachten. Ademhalen kost plotseling moeite, een harde bal vormt zich in mijn maag en wringt zich door mijn slokdarm omhoog. Ik probeer overeind te komen, mijn benen zijn van rubber. Bij de tweede poging lukt het om wankelend op te staan. Noi is weer naar buiten gekomen, ze ziet bleek en wordt zwaar ondersteund door Som. Van die kant is deze keer geen hulp te verwachten. Dieter ligt achterover in de kussens en glimlacht naar niemand in het bijzonder. De harde bal heeft mijn keel bereikt. Happend naar zuurstof haal ik nog net de leuning van de veranda en kots heel de copieuze maaltijd uit over de beneden rondscharrelende kippen en eenden.

7

Het enige bekende geval van overlijden als gevolg van een overdosis marihuana deed zich voor in de vroege jaren zeventig in de haven van Sydney. Een kabel brak en als gevolg daarvan viel van tien meter hoogte een krat, beladen met vijfhonderd kilo *Cannabis Sativa*, afkomstig uit Thailand, op het hoofd van een recent geïmmigreerde Libanese havenarbeider.

Het krat was eigendom van Mick en die baalde als een stekker. De verzekering vergoedt normale ladingen als motoronderdelen, textiel of grafzerken. Zoals de zaken ervoor stonden, werd als gevolg van het incident de hele lading in beslag genomen en vernietigd, een aanzienlijke schadepost. Hij zag zich gedwongen een paar van zijn geliefde renpaarden, twee huizen, een boot en zelfs zijn Learjet te verkopen om het verlies te dekken.

Ik wacht op hem bij een straatrestaurant op Sukhumvit Road ter hoogte van soi 7 en eet Pad Thai: een magisch gerecht van gebakken Thai rijstnoedels met eieren, vissaus, tamarinde, rode peper, plus een combinatie van taugé, gedroogde garnalen, kip en tahoe, gegarneerd met gemalen pinda's, koriander, lenteuitjes en limoen. De Thai keuken is de beste ter wereld, Pad Thai mijn lievelingsgerecht. Men eet het bij voorkeur bij een straatstal, met een grote fles Singhabier erbij, omgeven door overdadige uitlaatgassen. Aan al die voorwaarden is nu voldaan. Ik ben een tevreden mens.

Mick was waarschijnlijk de eerste in Australië die de enorme commerciële mogelijkheden van grootschalige marihuanahandel inzag. Dat moet ongeveer tien jaar voor het incident in de haven zijn geweest. Hij bevond zich in die tijd op een tweesprong. In zijn jeugd maakte hij deel uit van een bende gewelddadige winkeldieven. Tegelijkertijd bouwde hij in de ring een reputatie op als veelbelovend halfzwaargewicht. De twee loopbanen gingen niet samen. Hij werd een paar keer opgepakt, ging de bak in, ontsnapte net zo hard weer, maar raakte wel zijn bokslicentie kwijt.

Onder een andere naam en in een ander district ging hij gewoon door waar hij gebleven was. Boksen deed hij alleen nog in illegale partijen waarbij fors werd gewed. De jonge boeven ontwikkelden zich tot serieuze gangsters met belangen in gokken, prostitutie, onroerend goed, constructie, vakbonden en verzekeringen. Mick ontwikkelde zich in een andere richting. Rond zijn dertigste begon hij schoon genoeg te krijgen van schieten, knokken en rondrennen. In de gevangenis vond hij een nieuwe hobby: lezen. Mick las boeken voor zijn plezier. Zijn vrienden konden goed begrijpen dat iemand een wetboek, een boek over metaallegeringen, vuurwapens of andere praktische zaken zou doorworstelen. Lezen als vrijetijdsbesteding deed niemand. Mick wel. In de gevangenisbibliotheek begon hij bij de letter A en probeerde zo ver mogelijk te komen voordat hij de benen nam. Het verhaal gaat dat hij een keer zijn ontsnapping met een paar weken uitstelde omdat hij net een spannend boek te pakken had.

In diezelfde tijd rookte hij voor het eerst marihuana. Het beviel hem uitstekend. Om zich heen hoorde hij dezelfde geluiden: iedereen wilde marihuana roken, marihuana was de toekomst. Terwijl de vraag explosief toenam, bleef de aanvoer achter. Een enkele hippie kweekte wat in de achtertuin en zo nu en dan nam iemand wat mee uit India of Afghanistan, maar op geen stukken na genoeg en de kwaliteit was op zijn best wisselend. De prijzen schoten omhoog. Het klonk als prima handel.

Mick won advies in, kocht een paar boeken over tropische landbouw en ging op zoek naar een geschikte plaats voor een hennepveld. Die vond hij bij Byron Bay in New South Wales. Met een heus businessplan in de hand ging hij op bezoek bij King George, jeugdvriend en leider van de oude *gang*. Die bijnaam kreeg hij oorspronkelijk vanwege zijn belangen op

King's Cross, centrum van het ruige nachtleven van Sydney. Later in zijn carrière beschouwde hij zichzelf als de koning van de onderwereld en kwam de naam goed van pas. Hij kon het geld en de mensen leveren om Micks plannen uit te voeren.

Ze kochten een stuk land en gingen aan het werk. Dat wil zeggen, Mick ging aan het werk. King George bleef op de achtergrond. Mick leerde het vak snel, hij rekende erop een of twee oogsten nodig te hebben om een goed product te kunnen leveren, maar al bij de eerste oogst haalde hij een behoorlijk resultaat. Het geld stroomde binnen, de onderneming kocht extra grond aan en King George liet gewapende bewakers met honden om de velden zetten. Voor Mick was de lol er alweer af, hij wilde rustig zaken doen zonder op te vallen. De gewapende bewakers trokken juist de aandacht van de autoriteiten en de plantage werd met veel publiciteit opgerold. Het was duidelijk dat kweken op grote schaal in Australië geen toekomst had. Ze verplaatsten de operatie naar Thailand.

De stal waar ik mijn welverdiende portie Pad Thai eet is mij aanbevolen door Mick, ook een liefhebber en connaisseur. Alle vier de tafels zijn bezet en de kok is een stevig gebouwde dame van middelbare leeftijd, altijd een goed teken. Ik ben maar voor één dag in Bangkok: vroeg in de middag aangekomen, straks die afspraak en dan een avondje rustig televisiekijken in het hotel, voeten op tafel, zak rijstwafels erbij. Morgen vroeg weer terug. Veel is er 's avonds in de omgeving van Sukhumvit niet te doen en in Patpong heb ik weinig te zoeken. Noi is niet meegekomen, vermoedelijk bevindt ze zich op dit moment ergens in een winkelcentrum in de grote provinciestad vlak bij Ban Hoi. Die is voorlopig wel even bezig. Ik heb haar een pak geld gegeven en gezegd dat ze maar eens wat kleren moet gaan kopen. Ze keek alsof het Nirwana binnentrad. Ik stelde haar de Datsun en de diensten van Mister Joe ter beschikking en huurde zelf een auto met chauffeur.

Ik bedenk dat een dag zonder vrouwelijk gezelschap helemaal geen kwaad kan, maar de rust duurt niet lang. Twee sexy geklede en overdadig opgemaakte meisjes komen ongevraagd bij me zitten en beginnen tegen me aan te kletsen. Ik grom wat terug in de hoop dat ze vanzelf weer weg gaan.

'You no like Thai girl?' kwijlt een van de hoeren.

'Nee,' zeg ik, 'behalve als ze goed Pad Thai kunnen maken.'

De middelbare kokkin verstaat het en reageert met een melodramatische uitroep: 'Ooh, I very sad, I marry already.'

Dan wendt ze zich tot de hoeren en kiepert een emmer volzinnen over ze uit, die ertoe leidt dat ze zonder verder commentaar haastig hun biezen pakken. Mijn Thai is rudimentair, maar dit begreep ik uitstekend: 'Sodemieter op met je magere reet, laat mijn stal en mijn klanten met rust voordat ik je neptieten afsnijdt.' Of woorden van een dergelijke strekking. Daar heb je wat aan, zo'n vrouw, en de Pad Thai is werkelijk voortreffelijk.

Jammer dat ze al getrouwd is.

Vlakbij klinken piepende remmen, claxons, scheldwoorden en even later zie ik Mick zigzaggend Sukhumvit oversteken en in mijn richting sprinten.

'Is dat een echte Rolex?' vraag ik als hij tegenover mij zit, wijzend op het gouden horloge aan zijn pols.

'Natuurlijk, hoezo?'

'Goed om te weten voor de volgende keer dat je een zelfmoordpoging doet.'

'De automobilist die mij te grazen neemt moet nog geboren worden, maatje. Ik deed dit al toen jij nog in je broek plaste. Weet ik tenminste zeker dat ik niet gevolgd word. Zou je zelf ook moeten doen.'

Eigenlijk niets voor Mick, zo'n patserig horloge en ook verder is hij erg formeel gekleed. Behalve een jasje draagt hij zelfs een das.

'Vanwaar deze merkwaardige vermomming?' vraag ik.

'Paardenrennen,' antwoordt hij terwijl hij zijn das losmaakt en in zijn zak steekt.

'Dit is Bangkok, het is vijfendertig graden in de schaduw en jij gaat naar de races in blazer en das? Dan ben je wel een heel grote liefhebber.'

Dat is hij zeker en als liefhebber kon hij de races van vandaag absoluut niet missen. De Royal Races worden één keer per jaar gehouden, in aanwezigheid van leden van het koninklijk huis. Colbert en das verplicht. Bezoekers die van die regel niet op de hoogte zijn, kunnen correcte kleding huren bij de ingang.

'Spannend?'

'Welnee, allemaal voorgekookt. Het gaat om de sfeer, de weddenschappen, de mensen. En je komt nog wel eens iemand tegen.'

Ook deze keer liep Mick een oude kennis tegen het lijf, een gepensioneerde rechercheur uit Melbourne die tegenwoordig in Thailand woont.

De boef en de smeris dronken samen een biertje en praatten over vroeger.

Een van de laatste zaken die de oude rechercheur te behandelen kreeg, draaide om de dood van een kind, vertelde hij aan Mick. Het ging om een meisje van vier. Ze woonde met haar ouders en twee jaar oudere broertje in een flat in Melbourne. Pa, verslaafd aan de races, was iedere zaterdag te vinden op de renbaan. Ma paste dan op de kinderen. Zo ging het de meeste zaterdagen. Eén keer per jaar eiste moeder de zaterdag voor zichzelf op om met een paar oude schoolvriendinnen een uitstapje te maken. Die ene dag moest haar man afzien van een bezoek aan de renbaan en thuisblijven met de kinderen. Dat deed hij met frisse tegenzin.

Zodra zijn vrouw de deur uit was, installeerde hij zich op de bank om op de radio het liveverslag te kunnen horen. De kinderen speelden in hun kamer. Terwijl hij net zijn bookmaker aan de telefoon had, kwam het dochtertje huilend de kamer in. Haar broertje deed vervelend, pakte haar pop af en trok aan haar vlecht. Vader legde zijn hand op de hoorn en sprak de kinderen streng toe: 'Ophouden met ruziemaken, doe de deur dicht en ga lief spelen, papa is bezig.'

De kinderen gehoorzaamden en hij vervolgde zijn gesprek

met de bookmaker. Na een kwartiertje kwam zijn zoontje de kamer binnenrennen. Papa moest komen want het zusje was gevallen. Alweer? Met een zucht legde hij de hoorn neer, stond op en ging naar de kinderkamer. Leeg. Verstoppertje aan het spelen zeker. Hij keek om zich heen. Ze stond niet achter de deur of achter het gordijn zoals meestal. Waar dan wel? Zijn zoontje pakte hem bij zijn arm, wees en trok hem mee naar het raam. Dat stond open. Hij boog zich uit het venster en keek. Twaalf verdiepingen lager lag het lichaam van zijn dochtertje verpletterd op het asfalt.

Rechercheurs stelden vast dat het kind tijdens het spelen uit het raam was gevallen. Op slag dood. Een afschuwelijk ongeluk. De moeder legde de schuld bij haar man. Als hij een beetje meer aandacht aan de kinderen had geschonken zou het nooit gebeurd zijn. Ze liet zich scheiden, verhuisde en nam haar zoontje met zich mee. Papa ging aan de drank en is nooit meer in de buurt van een renbaan gesignaleerd. Tot zover de officiële versie.

Mick zet zijn overhemd een knoop verder open, trekt zijn jasje uit en probeert de aandacht van de kokkin te trekken.

'Tragische geschiedenis,' zeg ik, 'maar waarom heb ik het gevoel dat er nog een staartje aan zit.'

'Er is altijd een staartje,' antwoordt Mick.

De technische recherche kwam, zag en mat alles op. De vensterbank bevond zich te hoog boven de vloer voor het meisje van vier. Ze kon er nooit zelf opgeklommen zijn. Voor het raam zat bovendien een veiligheidsbalk. Zo makkelijk viel een kind daar niet uit. Er waren meer verontrustende details. Ze konden maar tot één conclusie komen: de jongen van zes had zijn zusje opzettelijk uit het raam geduwd.

Het team bestond uit behoorlijk harde gasten, vertelde de rechercheur, maar toen moesten ze toch even slikken. Ze konden het niet over hun hart verkrijgen de ouders over de ware toedracht in te lichten. Het was inderdaad een afschuwelijk ongeluk en zo kwam het te staan in het politierapport.

'Wat een rotverhaal,' zeg ik.

Mick grijnst.

'Het is een rottige wereld, maatje. Vooral als het me niet snel lukt om te bestellen.'

De kokkin merkt hem op en groet met een *wai*. Hij groet terug en bestelt een portie Pad Thai. Ze praten even.

'Volgens haar zijn jullie in een volgend leven voor elkaar bestemd,' vertaalt hij, 'je hebt blijkbaar indruk gemaakt.'

Ik blaas haar een kushand toe en ze reageert met een overtuigende imitatie van een verlegen schoolmeisje. Ze is midden vijftig, weegt dertig kilo te veel en onderhoudt met haar stalletje waarschijnlijk een uitgebreide familie van zes kinderen, een nutteloze, dronken echtgenoot en ernstig zieke ouders. Zeven dagen per week bereidt ze Pad Thai op Sukhumvit Road. Ze bakt, snijdt en maakt grappen en grollen met klanten en collega's. Soms houd ik erg veel van dit land.

Het probleem met Thai is dat ze geen maat kunnen houden en Noi is geen uitzondering. Sinds het diner bij het koninklijke paar een week geleden rookt ze bijna evenveel als ik en jaagt ze er zeker vier of vijf rum-cola per dag doorheen. Dat is behoorlijk wat voor een meisje van krap veertig kilo. Ze komt nu alleen nog maar de bungalow uit om naar het restaurant te gaan. Het strand vindt ze te heet, in het bos zitten slangen en op de veranda mieren. Hoofdpijn heeft ze ook veel de laatste tijd. Samen met Som en Dieter rookt ze zich avond na avond door mijn voorraad heen. De bodem is bijna bereikt, wat ook al een reden was om naar Bangkok te gaan.

Noi begon eerst te zeuren dat ze mee wilde. Toen ik duidelijk maakte dat het om een zakelijke afspraak ging, legde ze zich er opvallend makkelijk bij neer. Voordeel van mijn nieuwe status. Ze begrijpt dat boeven, net als meiden, wel eens gezellig onder elkaar willen zijn. De belangrijkste reden voor dit uitstapje is dan ook dat ik Mick wil spreken over mijn plan Dieter en zijn werf in te schakelen. Natuurlijk ligt dat niet zo simpel als ik dacht met flinke hoeveelheden bier, whisky, wiet en opium in mijn lijf, maar dat wil niet zeggen dat het op zich een slecht idee is. Ik ben wel zo verstandig geweest er niet tegen Dieter over te beginnen. Alleen Mick kan toestemming geven er iemand van buiten bij te halen.

Opium roken doe ik trouwens nooit meer. Ik voelde me nog dagen ziek. Noi beweerde dat ze niet heeft gerookt, maar ze was minstens even beroerd. Een kotsende minnares is geen prettig schouwspel. De prijs van een stevige kater wil ik best betalen voor een gezellige avond, maar van die opium heb ik me geen moment lekker gevoeld.

Ik vraag Mick of hij ooit opium heeft gerookt.

'Eén keer, in het noorden,' zegt hij, 'eerste en laatste keer.'

'Was het zo erg?'

'Erger, ik heb me nog nooit zo goed gevoeld. Kun je nagaan hoe levensgevaarlijk heroïne is.'

Zijn standpunt over heroïne is bekend. Ik hoorde het verhaal van de jongens lang voordat ik hem zelf ontmoette. Hij en zijn partner King George spraken jaren geleden af nooit in heroïne te zullen handelen. Wat Mick betreft niet zo vreemd, maar zijn oude partner staat bekend als de kwade genius van de Australische onderwereld, een man die je in een vat zoutzuur gooit als je hem verkeerd aankijkt en een hele familie omlegt als één van hen per abuis op zijn voet gaat staan. Wat heeft zo'n vent tegen heroïne?

Veel, begreep ik van de jongens. Zijn oudste zoon was verslaafd en overleed een paar weken na zijn achttiende verjaardag aan een overdosis. King George reageerde in eerste instantie niet anders dan de gemiddelde vader, heen en weer geslingerd tussen woede, verwijt en schuldgevoel. Hij beschikte wel over andere middelen dan de gemiddelde vader. De voornaamste schuldige, vond hij, was de dealer. Maar welke dealer? Dat kon hem niet zoveel schelen. Kort daarna werden vier bekende heroïnedealers op verschillende plekken in Sydney dood aangetroffen. In alle gevallen waren ze enkele keren met een auto overreden. Een persoonlijke boodschap van een treurende vader.

Zo is het altijd gebleven. King George is praktisch genoeg

om niet tegen de hele handel ten strijde te trekken, maar wie zaken met hem doet kan niet tegelijk ook in heroïne doen. Dat is de regel. De sanctie wil ik niet eens weten.

Mick krijgt zijn Pad Thai en stelt voor een fles bier te delen. Ik begin over mijn plannetje met Dieter, Mick steekt zijn hand op in een afwerend gebaar.

'Eerst Pad Thai, dan zaken. Belangrijkste regel van het vak.'

Terwijl Mick eet kijk ik om mij heen. De meeste klanten zijn middenklasse Thai in kantoorkleding. Sukhumvit is het nieuwe zakencentrum van Bangkok, overdag druk, tot voor kort in de avond uitgestorven. De laatste tijd zijn er een paar bars en massagehuizen geopend die tot laat openblijven. Ray denkt dat het binnen een paar jaar *het* centrum van het nachtleven wordt en overweegt om een paar appartementen in de buurt te kopen en die voor veel geld te verhuren aan expats en welgestelde hoerenlopers. David ziet er niets in, Sukhumvit ligt volgens hem te ver weg van het centrum van de stad. Te moeilijk bereikbaar voor een uitgaanscentrum, tenzij ze een metro of iets dergelijks aanleggen.

'Wat was nou zo belangrijk om speciaal naar Bangkok te komen?' vraagt Mick als hij klaar is met eten.

Ik leg uit waaraan ik dacht.

Hij wil weten of ik niet goed bij mijn hoofd ben. Haal ik hem daarvoor uit zijn drukke werkzaamheden? Hij legt het nog maar eens een keer uit: nooit iemand van buiten in een lopende operatie toelaten, negen van de tien keer is het een narcotica-agent en de tiende keer een gevaarlijke gek. Dat zou hij mij toch niet hoeven te vertellen. En in dit geval zou het nog erger zijn, die vent is getrouwd met een Thai, dus als je hem erbij haalt weet binnen de kortste keren heel Thailand waar je mee bezig bent. Uitgesloten, en daar komt nog bij dat het niet logisch is om een schip dat al in Hua Hin ligt naar Pattaya te brengen voor reparaties. In Hua Hin zijn alle faciliteiten ruim voorhanden. Welk excuus zou je kunnen bedenken om ergens naartoe te gaan waar de voorzieningen minder goed zijn?

'Dat het daar goedkoper is,' suggereer ik.

Een argument dat Mick moet aanspreken, niet alleen zijn smokkelprojecten zijn legendarisch, maar ook zijn zuinigheid. Hij is van Schotse afkomst, heeft een hekel aan onnodig geld uitgeven en staat bekend als een slimme onderhandelaar die altijd iets extra's uit het vuur weet te slepen. Zijn motto is: *Buy low, stay high*, een verstandige en prettige manier van zakendoen. De jongens besloten direct dat devies over te nemen. David stelde voor visitekaartjes te laten drukken met in het midden de tekst in een gotisch lettertype, geflankeerd door silhouetten van een hennepplant en een blote meid. In Bangkok kun je voor bijna niets visitekaartjes laten drukken, dus waarom niet. We zijn er nog niet aan toegekomen.

Ondanks zijn aangeboren zuinigheid begrijpt Mick heel goed dat je soms genereus moet zijn. '*Don't be a bad winner*,' zegt hij vaak. Precies het tegenovergestelde van wat meestal gezegd wordt want dat vindt hij totale flauwekul: je moet juist wel een slechte verliezer zijn om ervoor te zorgen dat het een volgende keer niet weer gebeurt. Het is veel belangrijker om geen slechte winnaar te zijn. Laat anderen delen in je succes, wees ruimhartig als het eraf kan en verwacht niks terug.

Hetzelfde principe is van toepassing op het schip. Misschien zijn reparaties iets goedkoper in Pattaya, maar dat weegt niet op tegen de betere faciliteiten in Hua Hin. De hele discussie is trouwens academisch, want alles is al geregeld. CallmeTony heeft het schip van de ketting weten los te praten zonder een cent uit te geven en is daar erg trots op. Hij heeft reparaties uit laten voeren en voorraden en brandstof ingeslagen. Het schip ligt in principe klaar voor vertrek. Wat ontbreekt is een kapitein en een plek om de lading aan boord te nemen. Dat valt te regelen, maar Mick wil zo lang mogelijk wachten in de hoop dat we er alsnog achterkomen wat er met onze kolonel is gebeurd. Inmiddels is wel bekend dat zijn familie in Singapore zit en voorlopig niet van plan is terug te komen. Weten ze iets wat wij niet weten? Vast wel. Weten ze wat er precies aan de hand is? Vast niet. De tijd begint wel te dringen. Problemen genoeg dus, ook zonder dat we er ook nog een buitenstaander bijhalen.

'Hé, het was maar een idee,' probeer ik me te verdedigen, 'er zal toch iets moeten gebeuren.'

'Luister,' zegt Mick, 'ik waardeer dat je probeert mee te denken en je hebt gelijk dat er iets moet gebeuren, maar laat het verder aan mij over om het spul op het water te krijgen. Jij hoefde alleen geld mee te brengen en het contact met de kolonel te onderhouden.'

Dat betekent dus dat er voor mij niets meer te doen valt, als ik het goed begrijp. Daar lijkt het voorlopig op, geeft Mick toe, maar niet getreurd. In de nabije toekomst zullen zich voldoende situaties voordoen waarbij ik de gelegenheid krijg een steentje bij te dragen. Ik dien mij beschikbaar te houden.

'Altijd prettig om een betrouwbare reservekracht achter de hand te hebben,' grinnikt hij.

Ik bespeur ironie. Tijd om op een ander onderwerp over te schakelen.

'Zeg, voordat ik het vergeet...' begin ik en maak een rokende beweging.

'CallmeTony brengt straks wel wat voor je mee, maak je geen zorgen.'

'Komt die ook langs?'

'Jullie hebben een afspraak. Toen hij hoorde dat je hier een avond zou zijn, leek het hem een aardig idee je mee te nemen naar Soi Cowboy.'

Soi Cowboy is een gezelligere versie van Patpong, bedoeld voor het lokale publiek, legt Mick uit. Met lokaal publiek bedoelt hij geen Thai, maar westerse expats. De echte lokale markt onttrekt zich aan onze ogen en dat is maar goed ook als je de gruwelverhalen mag geloven. Barmeisjes die westerse klanten bedienen vormen de elite van hun beroep en maken minder dan vijftien procent uit van het totale aantal hoeren. Op de laagste rang staan de slavinnen in de *handcuff houses*, bordelen waar vrouwen in smerige hokjes met handboeien aan de bedden worden vastgeketend om door de klanten ongestoord verkracht te kunnen worden. Blauwe plekken en schrammen zijn toegestaan, voor ernstigere beschadigingen bestaan speciale tarieven. Misschien wel het Thai idee van een leuk vrijgezellenfeestje. De vrouwen zijn geroofd of gekocht in Birma en Laos, de klanten zijn Thai en Chinees. Westerlingen zijn niet welkom.

'Wat moeten we in die Soi Cowboy?' vraag ik.

'Wat moet *jij* in die Soi Cowboy?' corrigeert Mick. 'Ik heb er niets te zoeken, maar voor jou zou het interessant kunnen zijn.'

'En jij dan?'

'Ik ben oud en ik heb het druk, geen tijd voor vertier.'

Duidelijk, maar wat heb ik er te zoeken?

'Dat moet je maar aan CallmeTony vragen,' zegt Mick, 'hij vindt dat je te eenkennig wordt.'

Eenkennig? Wat is eenkennig in het Thai, wil ik dan wel eens weten. Mick haalt zijn schouders op. CallmeTony is bezorgd over mijn relatie met Noi, het is gevaarlijk om aan een barmeisje te blijven plakken, vindt hij, en vooral aan dat bepaalde barmeisje. Het zou goed voor me zijn om met een paar andere leuke meisjes kennis te maken of om in ieder geval te zien wat er verder zoal in de wereld te koop is. Mick kijkt op zijn Rolex.

'Laten we gaan, CallmeTony zit op ons te wachten.'

Hij drinkt zijn glas leeg en laat het afrekenen aan mij over. Als we vertrekken groet ik de kokkin met een *wai*, hoger dan noodzakelijk. Ze groet terug op dezelfde manier.

*

CallmeTony wacht in de bar van een gloednieuw hotel in soi 11. *Farang* zitten in Bangkok het liefst heel authentiek aan een straatstal, een Thai zal zodra hij het zich kan veroorloven een moderne ruimte met airco opzoeken. Ik val met de deur in huis en vraag hem of hij toevallig een Thai mop kent. Hij glimlacht en keert zich naar Mick voor nadere uitleg. Die probeert uiteen te zetten wat een grap precies is, maar zijn Thai schiet tekort en CallmeTony kan het Engels niet volgen.

'Vertel dan zelf een mop, als voorbeeld,' zeg ik, 'jou heb ik ook nog nooit een grap horen vertellen.'

Mick moet opnieuw diep nadenken. Hij vertelt graag verhalen waarin hij zelf de hoofdrol speelt of verhalen over moord, doodslag, fatale vergissingen en spectaculaire afrekeningen. Zijn repertoire bevat daarnaast aforismen van eigen makelij en wijze raadgevingen, maar moppen kent hij nauwelijks. De enige grap die hij op dit moment kan bedenken heeft hij alleen onthouden omdat het met zijn vakgebied te maken heeft. Ten behoeve van CallmeTony vertelt hij langzaam en in eenvoudig Engels.

Drie mannen komen laat in de avond aan bij een ommuurde stad. De eerste man is dronken van alcohol. De tweede man is aan het trippen op LSD. De derde man is high op uitstekende Thai *ganja*. De poorten zijn al gesloten en gaan pas de volgende ochtend om zes uur weer open. De mannen overleggen met elkaar wat te doen.

'Dit hoeven we niet te pikken,' schreeuwt de eerste man, 'we rammen verdomme de poort in en gaan naar binnen.'

'Peace brother, dat is toch helemaal niet nodig,' reageert de tweede man, 'we zweven gewoon door het sleutelgat naar binnen.'

'Laten we niet zo moeilijk doen,' zegt de derde man, 'we gaan hier lekker op het gras zitten, roken een paar joints en wachten rustig tot morgenochtend zes uur.'

Het is niet de sterkste grap die ik ooit heb gehoord en CallmeTony begrijpt er al helemaal niets van. Waarom staat er een muur om die stad en waarom is de poort op slot, wil hij weten. Hoezo, door het sleutelgat naar binnen, dat kan helemaal niet. Bovendien, waar een deur is, zijn meestal ook bewakers. Bewakers kunnen worden omgekocht. Al met al vindt hij het een ongeloofwaardige geschiedenis en wat er zo grappig aan is ziet hij ook niet. Dat ben ik met hem eens.

'Ik zei toch dat ik geen moppen kan onthouden,' zegt Mick, 'ik heb wel wat beters te doen.'

Hij staat op, wenst ons een prettige avond en vertrekt. Ik blijf achter met CallmeTony.

'Ok,' zegt hij, 'better we go.'

Op ons gemak wandelen we door Soi Cowboy, een smal straatje van amper driehonderd meter lang. Een soi kun je het nauwelijks noemen. Het is eerder een zij-soi, een zijstraat van een zijstraat met aan weerszijden tientallen kleine bars en cafés en in ieder van die bars en cafés tientallen barmeisjes. De sfeer is ontspannen, meisjes zitten voor hun bar te kletsen met elkaar en met hun klanten, sommige eten een hapje. Een Thai die niet toevallig aan de maaltijd zit, denkt aan zijn volgende maaltijd en krijgt daar zoveel honger van dat hij in de tussentijd een paar snacks eet. Toch zie je zelden dikke Thai.

De toeristen, straatverkopers, disco's, neonreclames en *pushers* van Patpong ontbreken in Soi Cowboy en zelfs de muziek is anders. Jarenzeventigrock in plaats van disco en op een lager volume. Het aantal klanten ligt zeker niet lager. CallmeTony lijkt iedereen te kennen. Links en rechts wordt hij met hoge *wais* gegroet. Hij reageert met een hoofdknikje. Voor een van de bars blijven we staan. Het is een heel bijzondere bar, zegt hij, een die ik vooral eens van binnen moet zien. De eigenaar is een vriend van hem.

De vriend zit buiten aan een tafeltje met een zak gebakken sprinkhanen en een kop thee. Hij begroet CallmeTony met een *wai*, mij met een stevige handdruk en stelt zich voor als Gai. Met een brede zwaai van zijn arm nodigt hij mij uit de bar te betreden, dan kunnen de heren buiten even in het Thai over zaken praten zonder onbeleefd te zijn. Kosten zijn er niet, ik ben zijn geëerde gast. Gedienstig opent hij de schuifdeur die de bar van het terras afscheidt, roept iets naar binnen en sluit de deur achter mijn rug.

Het is een schaars verlichte ruimte vol nog schaarser geklede meiden. In het halfduister zie ik hier en daar een klant op een barkruk met een groepje meiden om zich heen. Voordat ik twee stappen heb gedaan storten ze zich op me. Vier, vijf meisjes duwen me in een donker hoekje. Acht of tien handen rukken aan mijn kleding. Ze maken mijn riem los, mijn gulp open en trekken mijn broek half naar beneden voor ik kan reageren. Een knielt tussen mijn benen, een ander grijpt van achter naar mijn ballen, een derde pakt mijn hand en duwt die tussen haar benen. Ik protesteer, maar mijn jongeheer heeft een heel andere mening. Zacht probeer ik de meisjes van mij af te duwen en er tegelijk een grapje van te maken.

'Kunnen we niet eerst kussen?' vraag ik.

'Can do, can do,' roepen ze in koor en beginnen een nieuwe aanval.

Met moed en beleid weet ik mijzelf te bevrijden, mijn kleding min of meer te fatsoeneren en de deur te bereiken. Buiten kijken CallmeTony en zijn vriend mij vol verwachting aan. De uitdrukking op mijn gezicht zegt blijkbaar genoeg, ze schieten tegelijkertijd in de lach. Terwijl hij zijn buik vasthoudt, wijst CallmeTony op mijn gulp. Ik kijk snel naar beneden, mijn gulp is keurig dicht. De twee Thai rollen nu bijna over de grond.

'This Thai joke,' weet CallmeTony uit te brengen.

'Too much funny,' bevestigt zijn handlanger.

Deze ronde is voor hen, maar ik pak ze nog wel een keer terug. CallmeTony haalt diep adem en veegt de tranen uit zijn ogen.

'I think, better we smoke now,' zegt hij.

Dat doen we natuurlijk niet in de bar, maar op het dak. Om daar te komen moeten we eerst weer de bar door. Spitsroeden lopen dus, ze knijpen in mijn billen, kruis en tepels, alleen de aanwezigheid van hun baas redt mij van een lot erger dan de dood. Achterin leidt een smalle, slecht verlichte trap naar boven. Op de leuningen hangt wasgoed te drogen, op iedere overloop ligt een gezin te slapen. De vierde verdieping was oorspronkelijk het dak en is verbouwd tot een grote kamer met bed, douche en toilet en een balkon. Gai heeft de sleutel.

'This short time room,' zegt hij.

Een kamer waar klanten een meisje uit de bar mee naartoe kunnen nemen als ze geen zin hebben haar mee naar een hotel te slepen. Op de vierde verdieping. Ik betwijfel of de gemiddelde dronken hoerenloper heelhuids de trappen op komt. We installeren ons op het balkon. Uit een tas die hij bij zich draagt haalt CallmeTony een zak *ganja* en vijf voorgedraaide joints.

Hij steekt twee joints tegelijk aan. Gai heeft Mekongwhisky, ijs, sodawater en glazen meegebracht. Hoog boven het gekrioel van de soi zitten we in stilte te roken en te drinken totdat de fles Mekong leeg is en Gai beweert weer aan het werk te moeten. Voorzichtig schuifelen we tree voor tree naar beneden. CallmeTony stelt voor nog een paar andere bars te bezoeken.

'Have many friend Soi Cowboy,' beweert hij.

Dat geloof ik graag. Buiten de bar nemen we afscheid van Gai, binnen zet iemand een plaat van The Doors op, *The future's uncertain, and the end is always near.*

Vastbesloten stort CallmeTony zich in de dichte menigte, ik volg hem op de voet.

Daar gaat mijn avondje rustig televisiekijken.

8

De enige wezens die mij onvoorwaardelijk liefhebben zijn muggen. Muggen in alle soorten en maten, van alle nationaliteiten en gezindten. Dat de liefde niet wederzijds is schijnt ze niet te deren en waar ze plotseling vandaan komen is een raadsel. We zitten al weken in de regentijd, maar tot een paar dagen geleden was er geen mug te bekennen. Nu is de veranda veranderd in een oorlogszone.

Ik steek een joint op en probeer voor de bloeddorstige zwermen te schuilen in een wolk van rook. Tevergeefs. Terwijl ik mijn enkels en polsen stuk krab, zit Noi met een rum-cola in de hand ongeduldig te wachten tot ik de joint doorgeef. Intussen zeurt ze over de heftige malaria-aanvallen die ze als kind heeft doorgemaakt. Ze groeide op in het grensgebied met Cambodja. Wie daar de twaalf haalt is de rest van zijn leven immuun voor malaria, beweert ze. Een twijfelachtige theorie en ik heb er niets aan. Reisgidsen beweren graag dat je steken het best kan voorkomen door het dragen van een lange broek in je sokken en een hoog dichtgeknoopt shirt met lange mouwen. Ideale kleding in de tropen, voor de zekerheid zou ik nog een bontmuts op kunnen zetten.

Een nieuw peloton muskieten heeft de veranda gevonden. Noi blijft gespaard. Haar moeten ze niet, de racisten. Ik geef de joint door en vlucht de bungalow in. Noi neemt de tijd voor de joint en komt dan ook naar binnen. Ik schop razendsnel de deur achter haar dicht. Niet snel genoeg. Een vooruitgeschoven eenheid van de vijand glipt mee naar binnen. Ik mep in de rondte met een opgerold tijdschrift, met rode vlekken op de muren als gevolg. Hun onvoorwaardelijke liefde kost ze het leven.

Met de genegenheid van die muggen zit het wel goed, maar hoe staat het met Noi? Was haar eerdere vertoon van liefde gemeend of speelde ze een rol? In dat geval wordt het tijd voor de uitreiking van de Oscars. De laatste tijd is het allemaal een stuk minder, vooral op erotisch gebied. Na de overwinning op de muskieten, heb ik wel zin om een beetje op het bed te rotzooien, we zitten nu toch binnen en het duurt wel een uur voordat het buiten weer veilig is. Noi kan niet enthousiast worden over mijn voorstel, ze heeft liever dat ik nog een joint draai, de vorige heb ik volgens haar bijna helemaal in mijn eentje opgerookt. Bovendien barst ze van de hoofdpijn; dat zal wel komen doordat ze vanmiddag te lang in de zon heeft gestaan toen we een stuk land van Soms familie gingen bekijken. Het liefst zou ze een uurtje gaan rusten voor we de deur weer uit moeten.

Hoofdpijn, dat speelt al een tijdje. Moet ze toch eens mee naar de dokter gaan, zeg ik, misschien is het wel een hersentumor. Ze begrijpt het niet, dus ik leg het uit.

'Je weet wel, kanker in je hoofd, het heerst nogal de laatste tijd.'

Ze kijkt angstig. Mooi zo, je moet niet spotten met die dingen, maar ook zonder medische scholing ben ik er tamelijk zeker van dat het niet om een hersentumor gaat.

Goed, we hebben inderdaad een hele tijd in de zon gestaan om dat stuk land te bezichtigen. Ok, het was bloedheet en we raakten in een mum van tijd uitgedroogd. Toegegeven, een paar liter bier was misschien niet het juiste middel om verloren vocht aan te vullen. Zelf heb ik nergens last van, maar ik zal haar nog een keer het voordeel van de twijfel gunnen.

De klachten begonnen na het met drank, wiet en opium overgoten avondje bij Som en Dieter en zijn sindsdien alleen maar verergerd.

'Noi headache.'

'Noi tired.'

'Noi sleeping.'

En zo gaat het maar door. Als ik voorzichtig suggereer dat ze misschien wat minder zou moeten roken en drinken krijg ik de

wind van voren. Ik ben een gierige vent die een meisje haar ple-
ziertjes niet gunt en een geile, oude bok die alleen aan zichzelf
denkt. Leuk om te horen van een meid aan wie ik een paar duizend dollar heb uitgegeven en die nog maar kort geleden niet
van mij was af te slaan.

Vooral sinds ik terug ben uit Bangkok is de situatie verergerd. Ze lult me de oren van de kop met al haar klachten, plannetjes en fantasieën. Ze verveelt zich op het eiland. Als ze iets
te doen zou hebben, een eigen bar of zo, dan ging alles ongetwijfeld veel beter. En anders kan ze misschien in Bangkok een
opleiding tot kapster of schoonheidsspecialiste volgen, als ik
betaal tenminste. We zouden ook kunnen trouwen en dan samen een huis kopen en een zaak beginnen. En Noi is niet de
enige met plannetjes, het hele eiland doet mee. Van alle kanten
word ik bestookt met voorstellen die allemaal met elkaar gemeen hebben dat er geld voor nodig is. Soms veel geld. Altijd
mijn geld.

Een dag later dan de bedoeling kwam ik om een uur of acht in
de avond terug uit Bangkok. Moe, hongerig en met grote behoefte aan een ijskoude fles Singha en de zachte armen van
mijn geliefde. Daar kwam weinig van terecht. Het hele stel zat
ganja te roken op de veranda. Noi, Som, Dieter en een onbekende, jonge Thai, voorgesteld als Moo, de broer van Som.
Niet echt de ontvangst waar ik op zat te wachten.

'De veerboten varen al uren niet meer,' zei Dieter, 'we hadden je niet meer verwacht.'

Blijkbaar een goede reden om met een hele menigte mijn veranda in beslag te nemen.

Het bezoek aan Soi Cowboy schopte mijn reisplannen inderdaad behoorlijk in de war. Het oorspronkelijke plan was
om vroeg te vertrekken en zo op tijd in Ban Hoi te zijn voor de
laatste boot naar het eiland. Dat ging niet door. Ik betwijfel of
er een kroeg in Soi Cowboy is die we niet hebben bezocht. De
meeste eigenaren en managers zijn goede vrienden van CallmeTony.

Goede vrienden laten je niet betalen, maar laten je ook niet na één drankje weer opstappen. Zo'n avond dus. Uit zelfbehoud schakelde ik over op bier, CallmeTony bleef stug Mekong drinken zonder aandacht te schenken aan de halfnaakte meiden om ons heen. Zo onbeleefd wilde ik niet zijn en zo mocht ik mij kroeg na kroeg verheugen in de attenties van een telkens wisselend, maar altijd opdringerig groepje dames. De uitnodigingen om mij naar mijn hotel te vergezellen of gezamenlijk een *short-time hotel* te bezoeken sloeg ik af, al zaten er best leuke meiden tussen.

In de laatste tent die we bezochten draaide ik de zaak om, bestelde twee *ladydrinks* voor alle aanwezige *ladies* en zorgde ervoor direct contant te betalen. Als dank stuurden ze een delegatie om me ter plekke te pijpen. Ze stonden erop. Ik probeerde te onderhandelen, riep CallmeTony te hulp, maar die verzekerde mij dat er niet onderuit viel te komen dit keer. Weigeren zou bijzonder onbeschoft zijn. Geval van overmacht dus. Wel een merkwaardige gewaarwording om zittend op een barkruk in een drukke kroeg door twee meiden tegelijk gepijpt worden, terwijl je intussen een praatje maakt met de naaste buren die dezelfde behandeling ondergaan.

Om precies drie uur 's nachts sloten de bars. Tegelijk openden overal op straat voedselkraampjes die onmiddellijk werden belegerd door hongerige *bargirls*. CallmeTony had zeker een fles Mekong binnen. Niets van te merken. Hoewel. Een dronken landgenoot stootte hem per ongeluk aan, kreeg meteen een harde duw en viel achterover op straat. CallmeTony schopte hem een keer in de ribben, bedacht zich, pakte een paar bankbiljetten uit zijn zak en gooide die naar zijn slachtoffer. Terwijl de man beverig een hoge *wai* probeerde te maken draaide CallmeTony zich om en liep weg. Een Thai gangster met een kwade dronk, ook dat nog.

Het leek erger dan het was. Ontevreden over zijn eigen optreden vond hij het plotseling de hoogste tijd om naar huis en in mijn geval naar het hotel te gaan. Niet het Phoenix Hotel in Pratunam, maar het Fortuna Hotel in soi 5, half uurtje lopen vanaf Soi Cowboy. Hij beschouwde het als zijn plicht mij tot aan de voordeur te begeleiden. Dat kwam goed uit. Voor het hotel hing een groepje tippelaarsters rond, allemaal opvallend lange, slanke meiden in fraaie japonnen. Ze riepen ons toe, omringden ons, versperden de weg. Zelden zulke agressieve vrouwen meegemaakt.

'This no lady,' zei CallmeTony, 'this *katoey*, have problem.'

Ladyboys zijn gevaarlijk: ze zijn voorzien van karikaturaal vrouwelijke vormen, mannelijke spieren en de agressie van een übermacho. Ze stelen, knokken en roven. Een eenzame wandelaar door nachtelijk Bangkok kan ze beter uit de weg gaan.

Ze drongen om ons heen, weigerden ons door te laten, ik voelde een hand in mijn broekzak, greep een pols, draaide, voelde tanden in mijn hand. Ik rukte me los, haalde uit met een machtige rechtse, raakte alleen de warme nachtlucht en viel voorover. Weg *katoey*. Twee meter verderop leefde CallmeTony zich uit, schopte, gebruikte ellebogen en knieën, afgewisseld met een enkele fraaie kopstoot. Hij richtte aanzienlijke schade aan en begon net een beetje op gang te komen toen de *katoey* alweer op waren. Degenen die nog konden, renden weg met hun pumps in de hand. CallmeTony aarzelde, haalde zijn schouders op, besloot zich verder niet moe te maken. *Ladyboys* in elkaar trappen maakt een mens dorstig. De hotelbar was nog open en een drankje zou er wel ingaan. Het bleef niet bij één drankje.

Gevolg: tegen vijf uur rolde ik op gevoel mijn bed in en maakte de volgende dag niet bewust mee. Pas tegen de avond en na vier aspirines en drie koppen koffie voelde ik mij in staat de hotelkamer een uurtje te verlaten. Van reizen geen sprake. Eindelijk een avond rustig televisiekijken. Ook de volgende ochtend bracht ik in bed door. Pas halverwege de middag vertrok ik per taxi naar Ban Hoi. Bij aankomst daar was de laatste boot al uren geleden naar het eiland vertrokken. Wat doet een beetje kerel in een dergelijk geval? Die huurt zelf een boot.

Vandaar de ongebruikelijke aankomsttijd. En wat kon ik zeggen? Gezellig *ganja* roken op de veranda is een onschuldig tijdverdrijf en ik ben niet de aangewezen persoon om daar bezwaar tegen te maken. Ik bromde wat, gooide mijn tas in de bungalow en ging de badkamer in. Eerst maar een douche en een fles bier. Ik wachtte tevergeefs tot Noi me zou komen inzepen en afschrobben zoals gebruikelijk. Ze bleef rustig zitten kletsen, roken en drinken. Prettig welkom. Fris gebaad en met een fles bier in de hand stapte ik de veranda weer op. Nog voor ik kon gaan zitten vroeg Noi of ik *ganja* had meegebracht. Alsof ik alleen goed was als leverancier. Zij en haar vriendjes mochten hun eigen spul oproken. Normaal gesproken doe ik niet moeilijk over het uitdelen van een beetje wiet, maar ik had geen zin het halve eiland op afroep van rookwaren te voorzien.

Terwijl Noi zat te mokken stond Dieter op en wenkte me naar een hoekje van de veranda.

'Som wil dat ik je wat vraag,' begon hij aarzelend. 'Je weet dat ze *ganja* op het strand verkoopt en nou dacht ze dat jij misschien, je weet wel...'

Hij maakte zijn zin niet af en wachtte tot ik reageerde. Ik hield mijn mond.

'Nou ja, ze dacht dus dat jij haar misschien iets kon leveren, van betere kwaliteit of voor een goede prijs.'

Niet goed bij zijn hoofd die gast. Mick had gelijk, blij dat ik die idioot niet bij het project had betrokken.

'Als je even nadenkt,' antwoordde ik, 'zijn er twee mogelijkheden. Of ik ben een stevig *ganja*-rokende hoerenloper die toevallig een paar goede contacten heeft. In dat geval kan ik mij absoluut niet veroorloven betrokken te raken in een plaatselijk drugshandeltje. Of ik ben de gangster voor wie je me schijnt te houden en in dat geval kan ik me dat nog veel minder veroorloven. Kies zelf maar.'

Dieter mompelde een excuus.

Ik ging zitten.

Mijn aanwezigheid droeg niet bij aan de feestvreugde. De

gesprekken vielen stil, al kon dat ook komen doordat ik als enige in het gezelschap geen Thai sprak.

'Bangkok ok?' vroeg Noi na een lange stilte.

Tjonge, wat een belangstelling.

'Bangkok ok,' antwoordde ik en gaf een kort en sterk gecensureerd verslag.

Bij het tafereel van CallmeTony die met een fles Mekong in zijn lijf een bende *katoey* van het trottoir veegde, stond ik wat langer stil. Het verhaal werd gewaardeerd. Ik nam een flinke haal van een passerende joint, begon direct te hoesten en begreep dat ik geen andere keuze had dan toch mijn eigen voorraad te voorschijn te halen.

En zo werd het toch nog gezellig. Dieter vertelde op zijn beurt een sterk verhaal. Broer Moo kwam met een lange en ingewikkelde geschiedenis, half in Thai, half in gebroken Engels. Zus Som keek verveeld terwijl Noi aan zijn lippen hing. Na nog een fles bier en een paar joints kon ik mijn ogen niet meer openhouden.

'Oude man gaat slapen,' zei ik en stond op om naar binnen en naar bed te gaan.

Dieters tas viel op de grond. De antieke opiumpijp waar ik zulke slechte herinneringen aan had viel eruit. Zaten die gekken hier in het openbaar opium te roken? Dat viel beslist niet onder de categorie onschuldig tijdverdrijf. Ik voelde me te moe om er dieper op in te gaan, maar nam me voor op te letten. Wat Som en Dieter deden moesten ze zelf weten, maar niet hier. Volgens de wet hier is niet alleen de gebruiker van illegale substanties strafbaar, maar ook en vooral degene onder wiens dak de drugs worden aangetroffen. Wat Noi deed, mocht ze ook zelf weten, maar ze moest een keus maken. Opium is een jaloerse minnaar die geen rivalen duldt. Hetzelfde geldt voor mij.

*

De natuur kent vele mysteries: een uur na zonsondergang zijn bijna alle muggen verdwenen. We roken en drinken nog wat op de veranda. Dan gaan we op pad naar het restaurant dat Soms familie een week geleden heeft geopend als deel van hun resort in wording. Ze richten zich op de *farang*-markt en naast een tiental standaard Thai gerechten staan er vooral westerse favorieten op de kaart: pasta, pizza, patat, vegetarische schotels en natuurlijk *banana pancake*, het standaardgerecht voor de avontuurlijke reiziger in Azië.

Aan mij en Dieter is gevraagd op te treden als culinair recensent. Het eerste wat ik inspecteer is de menukaart, in Thailand een nieuw verschijnsel. Thai hebben er geen behoefte aan, *farang* wel. Alle begin is moeilijk en zelfs in de betere restaurants zijn de Engelse omschrijvingen van Thai gerechten niet altijd even helder: *Celluloid noodle with barked carb*, *Three snakehead soupfish*, *Beautiful lice*, en de mooiste: *No name.* Kleine moeite een Engels-sprekende toerist, in ruil voor een fles bier en een gratis maaltijd, te vragen de kaart na te kijken op taalfouten zou je denken, maar daar beginnen de Thai niet aan. Gratis maaltijd? Gratis bier? Vergeet het maar.

Deze menukaart ziet er keurig uit, verder heb ik zo mijn twijfels. Het restaurant ligt naast een bouwput en is pas open. Toch zit het al halfvol. Op strategische plaatsen zijn tv-toestellen geplaatst waarop video's worden vertoond. Vooral actiefilms met het volume zo hoog mogelijk gedraaid. Niet ideaal voor de spijsvertering, maar dat is wat de klanten willen, of wat Thai denken dat de klanten willen. De familie zit vol plannen. Als het resort eenmaal klaar is, willen ze een karaokebar en een discotheek beginnen. Tegen die tijd hoop ik hier weg te zijn.

Om de keuken uit te proberen bestellen we als voorgerecht zelfgemaakt stokbrood, groene salade, kruidenboter, tomatensoep, uieringen. Terwijl we wachten komen Som en haar broer woorden tekort om de kwaliteiten aan te prijzen van het stuk land dat we die middag hebben bezichtigd. Noi is het geheel met de vorige sprekers eens, Dieter houdt zich afzijdig. Ik ben duidelijk in de minderheid. De familie wil het land verkopen om met de opbrengst hun resort af te kunnen bouwen. Ze zouden het liever zelf uitbaten, maar nu er toch verkocht moet worden, geven ze mij met genoegen de eerste keus.

Noi is enthousiast. Ze zou niets liever doen dan een eigen bar en restaurant runnen, misschien met een paar bungalows erbij. Ik hoef alleen maar het land te kopen, zij zal al het werk doen. Dan zal ze toch eerst eens wat minder moeten roken en drinken en ook verder kan ik haar enthousiasme niet delen. Het gaat om een smal stuk land, steil omlaag lopend naar een rotsachtig deel van het strand. Er zijn mooiere plekjes op het eiland. Om te bouwen moet eerst de grond geëgaliseerd worden. Ben je maanden mee bezig en zelfs in Thailand kost dat een vermogen. Bovendien, het eiland is een natuurreservaat, een bouwvergunning voor een nieuw restaurant kan je wel vergeten. Omkopen werkt niet in dit geval, er zijn al eerder illegale bouwsels neergehaald. De lokale Thai omzeilen het probleem door niet nieuw te bouwen, maar bestaande bouwsels uit te breiden en zo van een kippenhok een bungalowpark te maken. Ervaring als projectontwikkelaar heb ik niet, maar dit lijkt me een perfect voorbeeld van een waardeloos stuk land, nog net goed genoeg voor een domme *farang* en zijn hoer. Fijne vrienden. Muggen zijn niet de enige bloedzuigers op dit eiland.

Thai zijn uiterst terughoudend met het geven van kritiek en verstandige *farang* volgen hun voorbeeld, zelfs als er uitdrukkelijk om wordt gevraagd. Zo zeg ik bijvoorbeeld niet dat het stokbrood klef is, de tomatensoep naar petroleum smaakt, de uieringen verbrand zijn of dat drie slablaadjes, een ongeschilde wortel en een halve fles mayonaise geen salade vormen. Over de kruidenboter wil ik het al helemaal niet hebben. Mijn beleefdheid gaat niet zo ver dat ik het ga opeten. De dames drinken rum-cola, de broer Mekong, Dieter en ik bier. Met de drankjes is niets mis, grote kans dat dit een vloeibare maaltijd wordt.

De afgelopen weken zijn mij huizen, boten, restaurants en partnerschappen in alle mogelijke ondernemingen aangeboden. En nu dus een stuk land. Weinig kans. Toch ben ik nieuwsgierig hoe ze dit willen spelen. Buitenlanders mogen geen land bezitten in Thailand. Hoe denken ze dat op te lossen? Geen probleem, verzekeren ze mij, we kunnen een *joint venture* opzetten, waarin de Thai partner 51 procent van de aandelen bezit en ik als buitenlander 49 procent. Een dergelijke onderneming kan wel land bezitten. Dan word ik dus minderheidsaandeelhouder in mijn eigen onderneming, werp ik tegen, maar nee, dat kan voorkomen worden door die 51 procent te verdelen over verschillende Thai die niet met elkaar in contact staan. Die zullen snel kennismaken vermoed ik. Geen vertrouwenwekkende constructie.

Het allereenvoudigste zou zijn om te trouwen en dan het land gewoon op naam van Noi te zetten, zegt Som, zo hebben zij en Dieter het ook gedaan. Op papier is alles van haar, maar in de praktijk maakt dat geen enkel verschil. Ze wendt zich tot Dieter.

'Ja toch?'

Dieter knikt braaf.

Ja, logisch, als hij tegenspreekt is hij zijn huis kwijt. Van zulke gevallen heb ik vaker gehoord.

Waarom kopen, wil ik weten, is leasen geen beter idee? Alle aanwezige Thai barsten los in een tirade tegen leaseconstructies: onbetrouwbaar, duur en veel te veel papierwerk. Dat geeft de doorslag. Buitenlanders kunnen in Thailand geen land bezitten. Het kan niet vaak genoeg herhaald worden. Ze zouden borden met die tekst moeten plaatsen op het vliegveld, in hotels en langs doorgaande wegen. Alle constructies die bedacht zijn om dat verbod te omzeilen zijn juridisch wankel en bieden de buitenlandse eigenaar geen enkele bescherming. Wat buitenlanders wel kunnen doen, is land leasen, daarvoor bestaan vast omschreven, wettelijk gewaarborgde procedures. Een leaseconstructie is nou net de enige min of meer veilige manier om in Thailand een stuk land te verkrijgen. Wie dat probeert te ontmoedigen heeft niet veel goeds in de zin.

Het gezelschap bestelt steak, patat, lasagne en pizza calzone. Mij ontbreekt de moed daartoe. Ik bestel Pad Thai, daar kunnen ze weinig aan verpesten. En natuurlijk nog een fles bier. De Thai zeuren door over de voordelen van het bezitten van land in een tropische vakantiebestemming. De toekomst van het toerisme op het eiland ziet er volgens hen bijzonder roos-kleurig uit.

'Why you no want land?' vraagt de broer.

Zijn toon bevalt me niet. Ik ben niet van plan me hier te gaan verantwoorden en heb ook geen zin in eindeloze discussies. Wat is de Thai methode om ergens onderuit te komen? Verant-woordelijkheid afschuiven, een hogere autoriteit introduceren.

'Ok, I speak friend.'

Mijn Thai vrienden in Bangkok hebben verstand van dit soort zaken, leg ik uit. Ik zal ze vragen hier langs te komen, de situatie te bekijken en mij over de aankoop te adviseren. Vin-den zij het een goed idee, dan praten we verder.

Noi zegt iets in het Thai. Som en de broer kijken ongelukkig, Dieter vertoont voor het eerst die avond enige interesse.

'Ok, ok,' zegt de broer, 'we give discount.'

Waar zelfs een verre vriend al niet goed voor is.

We hebben het er later nog wel eens over, zeg ik. Dit keer lij-ken ze dat te accepteren. Een tijdelijke strategische tocht om te hergroeperen voor een nieuwe aanval, neem ik aan.

De gerechten arriveren. Het ziet er bar en boos uit, de Thai hebben niets in de gaten. Dieter eet met lange tanden. Blij dat ik Pad Thai heb besteld. Natuurlijk bestaan daarin ook grote ver-schillen in kwaliteit, maar in principe is het een veilig gerecht. Ook een mindere Pad Thai blijft goed te eten, naar mijn erva-ring. Tot nu toe dan. Wat ze hier serveren mag de naam van de befaamde schotel niet eens dragen. Slappe slierten, plukje ver-zopen taugé, kip met botsplinters, geen garnaal te bekennen. Wie dit aan een Thai voorzet riskeert zijn leven.

Dan nog maar een fles bier. En nog een. Een mens moet toch de broodnodige calorieën naar binnen zien te krijgen.

Dieter heeft zijn steak van zich af geschoven en begint weer over zijn oude plan om een charteronderneming te beginnen. Hij schat mijn stemming goed in en vraagt niet om geld maar om mijn mening. Die geef ik graag, om te beginnen door een tegenvraag te stellen.

'Hoe komt het dat iedereen die aan charters begint failliet gaat?'

Dieter weet het niet. Ik ook niet. Het is een constatering, geen analyse.

Alleen door charters te combineren met een andere onderneming bestaat er een kans op succes. Ik kende een Nederlander die op Bali een boot, een duikschool en een guesthouse bezat. Liep uitstekend. Later breidde hij zijn activiteiten uit met cannabissmokkel. Dat liep minder goed af. Hij zit daar nu nog steeds in de lokale bajes, bekend als het Kerebokan Hilton. Anders dan voor de meeste gevangenen is die naam voor hem toepasselijk. Hij heeft de middelen voor een eigen cel, roomservice, kranten en boeken, goed voedsel en wekelijks onbewaakte bezoeken van bezorgde vriendinnen die hem graag een hart onder de riem steken. Eens per maand bezoekt hij samen met twee bewakers in burger een goed restaurant in de buurt. Ze worden dan samen dronken. Soms moet hij de bewakers ondersteunen op de terugweg naar de gevangenis. Ze maken zich niet druk. Bali is een eiland. Hij zit daar nog wel even.

Een waardeloze smokkelaar, maar de charters pakte hij slim aan. Misschien zou Dieter aan zoiets moeten denken. Zeiltochten organiseren met gasten van het toekomstige resort. Lunchen op onbewoonde eilanden. Dat werk. Iets om met de familie te bespreken.

'Heb ik al gedaan,' zegt Dieter, 'je kunt raden hoe dat afliep.'

'Groot enthousiasme, totdat duidelijk werd dat er poen op tafel moest komen?'

Hij knikt. Dat was niet moeilijk raden.

Onze Thai tafelgenoten voeren intussen een geanimeerde conversatie. Dieter luistert mee en schudt zijn hoofd.

'Waar gaat het over?' vraag ik.

'Moo wil een bar beginnen, met Noi als bedrijfsleidster.'

'Wat voor bar, karaoke?'

'Nee, een soort gogobar, als ik het goed begrijp.'

'Geintje zeker?'

'Nee, serieus, ze hebben het er al eerder over gehad.'

Gogobar? Dan zit broer Moo hier dus onder mijn neus een beetje de pooier te spelen. Volgens Dieter zijn de drie het roerend met elkaar eens. Een gogobar is precies wat het eiland in dit stadium nodig heeft. De familie kan ruimte en middelen beschikbaar stellen, Noi heeft ervaring en wordt bedrijfsleidster, Som gaat de financiën doen. Niemand neemt de moeite mij iets te vragen.

Dat is prima. Dan hoef ik hier dus ook niet te blijven zitten. Blij dat ik weg kan van de blèrende video's en het verbrande voedsel. Ik zeg tegen Noi dat het zo wel genoeg is. Als ze nog prijs stelt op mijn gezelschap moet ze nu mee komen, anders mag ze bij Som en Dieter op de veranda gaan slapen.

Opstaan, restant bier opdrinken, weglopen zonder wankelen, niet omkijken. Ziezo. Achter me hoor ik verbaasde uitroepen, het geluid van een stoel die verschoven wordt, haastige voetstappen. Noi roept me toe dat ik moet wachten. Ik heb langere benen en zet er stevig de pas in.

Terug in de bungalow pak ik een fles bier en haal mijn *stash* te voorschijn. De laatste tijd verstop ik mijn wiet om Noi niet te veel in verleiding te brengen. Ze heeft nooit genoeg. Geef haar een joint en ze wil er twee, geef haar die tweede en ze wil meteen een derde. Hetzelfde geldt voor alcoholische dranken. Ze is erg ontevreden over de rantsoenering die ik heb ingevoerd. Mijn voorraad is niet onuitputtelijk en ik kan niet de hele tijd op en neer naar Bangkok blijven rijden. Bovendien is het nergens voor nodig dat zij en haar maatjes meer roken dan ikzelf. In principe mag iedereen meeroken, maar ik deel niets uit en heb ook niet altijd behoefte aan gezelschap. Noi mag van de ruime toelage die ik haar geef gerust haar eigen *ganja* kopen en zich samen met haar vrienden te pletter roken. Geen enkel bezwaar.

Buiten adem klimt Noi de veranda op.

'Why you run?'

Omdat ik daar zin in had.

Noi zet weer dezelfde oude plaat op: ik ben een gierige vent, ze verveelt zich, Som zegt... blablabla, eigen bar, blablabla.

O ja, eigen bar. Wat hadden we afgesproken, waarvoor geef ik haar vijfhonderd dollar per maand? Vijfhonderd dollar. Dat is het bedrag dat ik haar betaal om niet in een gogobar te hoeven werken. De gemiddelde Thai verdient ongeveer honderdvijftig dollar per maand. Barmeisjes het dubbele en soms meer, maar die vijfhonderd is naar alle maatstaven uitstekend betaald.

Noi begint te huilen.

'Why you make problem for me?' snikt ze.

Wie maakt hier nu eigenlijk problemen? Zij moet keuzes maken, ik heb het al eerder gezegd. Ze mag best voor Som en haar broer een gogobar gaan runnen en zo haar eigen geld verdienen. Maar dan wel zonder financiële bijdrage van mijn kant. Ze mag ook onbeperkte hoeveelheden opium en *ganja* roken en rum-cola drinken. Zonder mij, wel te verstaan. Wil ze terug naar Bangkok om te werken in de Roxy of een andere hoerentent? Prima. Voor mijn part gaat ze astrofysica studeren aan Harvard. Allemaal haar eigen zaak, maar val mij er niet mee lastig.

Van al dat geruzie krijgt Noi weer een stekende hoofdpijn. Thai hebben een bloedhekel aan confrontaties. Ze trekt zich terug in de bungalow om te slapen. Ik blijf zitten op de veranda, draai een joint en staar naar de branding. Eindelijk rust. Twee joints later ben ik voldoende gekalmeerd om ook naar bed te gaan.

Midden in de nacht word ik waker met een enorme erectie. Geen kwestie van geilheid, maar van een volle blaas. Onhandig klim ik uit bed en stoot daarbij Noi aan. In haar halfslaap maakt ze een beweging waardoor ik met mijn onderlichaam hard tegen haar billen duw. Ik slaap naakt. Nu is ze helemaal wakker en snauwt.

'Go away. I sick of your penis.'

Ziek van mijn penis. Dat is niet zo best. Haar gezondheid

laat werkelijk te wensen over, eerst die hersentumor en nu dit. Ik verzeker haar dat ik echt geen boze plannen had en schiet de badkamer in. Net op tijd. Als ik opgelucht terugkom is haar stemming omgeslagen. Ze zit rechtop in bed te lachen.

'I sorry, I think you want boom-boom,' zegt ze.

Normaal gesproken graag, maar nu even niet.

Giechelend wijst ze op mijn slappe penis.

'Sleeping now.'

Dat lijkt me onder de omstandigheden normaal, maar zij ziet het als een uitdaging en begint me te strelen. Geen reactie. Ze zet een pruilend gezicht op en intensiveert haar bewegingen. Met succes dit keer. Woest stort ze zich op me. Wild graaiend en hijgend vallen we schuin over het bed.

Wie het begrijpt mag het zeggen.

Noi heeft blijkbaar in de gaten dat haar positie in gevaar is en doet haar best. De verbetering zet door. Ze zeurt minder, rookt en drinkt minder en lijdt veel minder aan hoofdpijnaanvallen. Bij Som en Dieter gaat ze niet meer op bezoek.

Ze gaat zelfs zo ver me te vergezellen op een boswandeling. Doodsbang voor slangen en andere enge beesten, gekleed in een lange trainingsbroek, de pijpen gepropt in glimmende rode kaplaarzen maatje vierendertig. Een shirt met lange mouwen, haar in een paardestaart en een honkbalpet. Heel schattig en heel dapper.

Anders dan mijn geliefde zou ik graag eens een slang tegen het lijf lopen. Iedereen vertelt altijd sterke verhalen over slangen, ik ben de enige die er nooit een te zien krijgt. Arme Noi, ze zegt van het platteland te komen en in de jungle van Bangkok redt ze zich uitstekend, maar dit vriendelijke bos vormt voor haar een vreemde en bedreigende omgeving. Ik loop voorop, tas met water en voedsel op de rug, stok in mijn hand om de weg vrij te maken. Ze blijft vlak achter me. De paden op, de lanen in. We nemen een makkelijke route zonder veel heuvels. Toch moet ze om het kwartier stoppen om uit te rusten. Hoe kan je op die leeftijd zo'n beroerde conditie hebben?

Na een uur lopen zie ik rechts van het pad een dozijn kleine, conische bouwsels van aarde, ongeveer dertig centimeter hoog, een opening aan de bovenzijde. Noi weet zowaar wat het voorstelt.

'Poo,' zegt ze. 'Crab. This house crab.'

Krabbeholen. Interessant. Even kijken. Een stap naar voren en ik bevries. Midden over het pad ligt een slang. Alleen het lichaam zichtbaar, dik als een pols, zeker twee meter lang, goudbruin getekend. Een prachtig dier. De kop steekt buiten het zicht in een van de gaten. Noi ziet de slang, springt een meter naar achter en zet het luchtalarm aan. Ik probeer haar te kalmeren en uit te leggen dat de meeste slangen alleen gevaarlijk zijn als je ze verrast of op ze trapt. De truc is om beleefd je aanwezigheid aan te kondigen en ze de gelegenheid te geven er vandoor te gaan, vertel ik. Slangen zijn banger voor mensen dan andersom en terecht. Noi gelooft er niets van, dat beest kan nooit banger zijn dan zij.

Om mijn theorie te bewijzen stamp ik een paar keer hard met mijn hiel op de grond. De slang voelt de trillingen en komt in beweging. Langzaam glijdt hij achteruit, trekt zijn kop uit het gat en kijkt ons aan. Hij ziet er niet bang uit, eerder geïrriteerd. Met welk recht verstoren we zijn lunch? Het dier heeft natuurlijk groot gelijk. Ik verontschuldig me, de slang werpt ons een laatste, minachtende blik toe, steekt zijn kop weer in het gat en vervolgt zijn maaltijd, zijn lichaam nog steeds uitgestrekt over het bospad. We kunnen er makkelijk overheen stappen of desnoods omheen lopen, maar Noi weigert pertinent een stap in die richting te zetten. Mijn beweringen over slangen gelooft ze niet meer en boeddha mag weten welke andere akelige dieren hier nog meer zitten. Ze wil terug naar de bungalow, terug naar de beschaving, terug naar Bangkok. Einde van een mooie boswandeling.

Na een stevige joint en een paar slokken bier is ze weer een beetje gekalmeerd. Genoeg in ieder geval om zich te herinneren dat ze niet van bier houdt. Met een vies gezicht geeft ze de fles aan mij door. Slangen. Ze haat slangen en gaat voor geen goud dat bos meer in. Ik begrijp het niet, ze is toch opgegroeid midden in de rimboe? Dat heeft ze nooit gezegd, beweert ze. Het was een moerasachtig gebied, in de verre omtrek van het dorp was er geen boom te zien, maar slangen en muggen waren er in overvloed. Wonen haar ouders daar nog steeds, vraag ik. Ze schudt haar hoofd.

'Dead already long time.'

De ouders overleden kort na elkaar nog voor haar veertiende aan de twee belangrijkste doodsoorzaken in het gebied: malaria en alcoholvergiftiging. Haar broertje stierf al eerder aan een slangebeet. Na de dood van haar ouders kwam ze bij een tante in Bangkok in huis. Een paar jaar geleden ging die ook dood en sindsdien is ze alleen.

Een Thai zonder familie, dat hoor je zelden. Het viel me al op dat ze nooit op de proppen kwam met een moeder die een dringende staaroperatie nodig had, een zieke vader wiens medicijnen onbetaalbaar dreigden te worden of een plotseling overleden karbouw die zo snel mogelijk vervangen diende te worden. Geen familie, het toppunt van eenzaamheid. Dat valt wel mee, zegt ze, er zijn neven, nichten en veel vriendinnen. Bovendien scheelt het een hoop geld. Haar eerste inkomsten deelde ze nog met de oude tante, daarna kon ze alles voor zichzelf houden.

Waar heeft ze al dat geld in godsnaam aan uitgegeven? Ze denkt na, maar weet het niet. Gespaard misschien? Af en toe bewaart ze geld onder haar matras, maar van echt sparen komt het niet. Heeft ze een bankrekening? Nee, haar soort mensen is niet welkom bij een bank, denkt ze. Dat lijkt me sterk, iedereen met geld in zijn zak is welkom bij een bank. Zodra we in Bangkok zijn openen we voor haar een bankrekening, desnoods met hulp van Mister Joe of CallmeTony. Daar is ze blij mee, het liefst zou ze genoeg sparen om een eigen bar te beginnen.

Daar is die bar weer. Hoe vaak hebben we het daarover al gehad? Nog los van alle andere bezwaren lijkt het me zakelijk gezien geen verstandige zet. In Bangkok is de concurrentie moordend en ik betwijfel dat hier op het eiland een gogobar in goede aarde zal vallen. Tot voor heel kort was het een kleine gesloten gemeenschap van vissers. Conservatieve mensen. Sommige zijn rijk geworden van het toerisme, sommige niet. Er heerst jaloezie, ontevredenheid, onbegrip. Schaars geklede westerlingen dartelen over de stranden en door het dorp. Niet iedereen kan daar tegen. Laatst ging een oude visser over de rooie en schoot zijn jachtgeweer leeg op een stel jonge toeristen die naakt lagen te zonnebaden op het strand voor zijn huis. Om te ontkomen vluchtten ze het water in. De visser herlaadde en wachtte. Uiteindelijk moesten de blootlopers om de rotsen heen naar het volgende strand zwemmen en zonder schoenen via het bos terugsluipen. Onder de schrammen maar ongezien bereikten ze hun hut. Een goede les. De oude visser werd door familie met zachte hand terug naar huis geleid. Ik denk niet dat de komst van een gogobar unaniem zal worden toegejuicht.

Ze legt zich er voorlopig bij neer. Het onderwerp zal nog wel eens terugkomen. Maar wat nu? Blijven of vertrekken? Het klinkt aardig, een langdurig verblijf in een luxe bungalow op een tropisch eiland, maar na een paar weken slaat de verveling toe. Bovendien zijn de relaties met de lokale bevolking behoorlijk bekoeld. Alleen Dieter komen we soms nog tegen. Hij begrijpt dat een normale vent niet accepteert dat zijn vriendin achter zijn rug een hoerentent wordt ingelokt. Verder is het een sukkel, hij heeft zichzelf in een onmogelijke positie gewerkt. Geen goed voorbeeld. Wel een uitstekende waarschuwing. Die kant moet het in ieder geval niet op.

Maar welke kant wel? Ik heb weinig behoefte aan een relatie als een emotionele en seksuele achtbaan. Het gaat nu even goed, maar voor hoelang? Misschien moet ze maar eens terug naar school, Engels studeren, algemene ontwikkeling opdoen, horizon verbreden. Tegelijkertijd kan ik Thai leren. Lijkt moeilijk, maar wat Dieter is gelukt kan ik ook.

Allemaal goede redenen om naar Bangkok te gaan. Daarbij komt dat de jongens een dezer dagen terugkomen uit Pakistan. Misschien zijn ze er al. Lang zullen ze niet blijven, binnenkort vertrekken ze alweer naar Nederland om zich bezig te houden met het overladen van de Pakistaanse hasj. Die hebben vast wel een paar sterke verhalen te vertellen. Ik wil ze niet missen. Noi vertrekt liever vandaag dan morgen.

9

De auto staat geparkeerd op een terrein vlak bij de haven. Het is negen uur in de avond. Eigenlijk wilde ik vroeg in de ochtend vertrekken, maar Noi stond erop een afscheidsbezoek te brengen aan Dieter, Som en broer Moo. Ik vergezelde haar niet. Ze bleef lang weg en eenmaal in Ban Hoi moesten we op zoek naar Mister Joe, die ergens iets zat te eten.

Zo is de dag alweer bijna voorbij wanneer we eindelijk op pad kunnen. Tegen 's nachts rijden heeft Mister Joe geen bezwaar, wel zo veilig vindt hij. De donkere parkeerplaats blijkt minder veilig. Tussen de geparkeerde auto's hangen twee jonge Thai rond. Foute types, van top tot teen bedekt met tatoeages. Ze krijgen ons in de gaten en komen onze kant uit.

'Have problem,' zegt Mister Joe.

Origineel, dat hoor ik de hele tijd. *Have problem* of *No problem*. Nooit eens iets ertussenin. Dat wil niet zeggen dat hij ongelijk heeft. Twee Thai straatboeven staan immers op het punt vervelend te gaan doen. Ze willen ons minimaal beroven en mogelijk de keel afsnijden. Ik bevind mij in het gezelschap van een oude man en een jong meisje. Met het meisje hebben ze zonder twijfel aanvullende plannen. Ik ben ongewapend. Inderdaad een probleem.

Mister Joe loopt onverschrokken op de straatrovers af. Een korte dialoog in Thai volgt. Noi maakt een angstig geluid en gaat achter mij staan. De straatrover springt met uitgestrekte armen woest op Mister Joe af. Die beweegt een beetje opzij en in zijn hand verschijnt een vreemd metalen voorwerp. Twee bloedende, diagonale strepen worden zichtbaar op het hemd van zijn aanvaller. De man wankelt achteruit, zijn hand tegen zijn buik gedrukt. De ander aarzelt. Mister Joe doet een stap in zijn richting, laat het mes door de lucht flitsen, cirkels vormen, naar voren schieten. De boefjes struikelen over hun benen om weg te komen. Mister Joe roept ze nog iets na. Probleem opgelost.

Dat ik dit als Bruce Lee-fan nog mag meemaken. Ik vraag Mister Joe of ik dat merkwaardige mes eens van dichtbij mag zien.

'Karambit,' antwoordt hij.

'Pardon?'

'Name knife,' zegt hij, 'karambit.'

Nooit van gehoord. Nooit eerder gezien. Een ongeveer twintig centimeter lang mes dat hij in een schede onder zijn shirt draagt. Dubbelzijdig geslepen, het lemmet naar binnen gebogen als een sikkel met een gemene punt. Boven op het heft is een stalen ring bevestigd. Mister Joe geeft een kleine demonstratie: mes onderhands, wijsvinger verankerd in de ring. Hij laat het draaien, naar voren schieten en van richting veranderen. Het is geen echt steekwapen, maar een mes om te hakken, houwen en striemen, om opengereten wonden te veroorzaken in plaats van discreet bloedende sneden, een wapen om aderen open te rukken. Een wapen ontworpen om angst aan te jagen.

Dat is dan uitstekend gelukt.

Dit is de eerste keer dat ik een traditioneel Thai wapen zie.

'This no Thailand knife,' zegt Mister Joe.

Hoezo niet?

'This Malaysia knife.'

Meer weet hij niet en van kungfu heeft hij geen verstand. Lang geleden woonde hij in Kuala Lumpur. Moeilijke jaren, onveilige straten. Zijn buurman, een gepensioneerde politieman, leerde hem met het mes omgaan om straatrovers af te schrikken. Er bestaan misschien effectievere wapens, maar weinig die er angstaanjagender uitzien. Mister Joe hoefde zelden tot werkelijke actie over te gaan.

Ik neem het mes in mijn hand en probeer de zwiepende bewegingen na te doen. De naaldscherpe punt mist mijn pols op een millimeter.

'Must practice,' zegt Mister Joe.

Dat zei oom Fleur ook altijd, maar dagelijks oefenen was nooit mijn sterke kant. Het is me nooit gelukt *nunchaku's, tja-bangs* en al die andere exotische wapens onder de knie te krijgen.

Ik vraag naar zijn conversatie met de boefjes. Hij probeert het uit te leggen. Het gesprek verliep ongeveer als volgt: 'Hé ouwe, wat sta je me aan te staren, ben je wel goed bij je hoofd?'

'Ja hoor, tegenwoordig wel, maar vroeger was ik zo gestoord dat ik met een dronken kop een keer een varken heb geneukt en nou dacht ik toch werkelijk voor een moment dat jij mijn zoon was.'

Einde gesprek.

De trouwe Datsun staat klaar. Mister Joe steekt het mes terug onder zijn shirt, start de motor en zet zijn onafscheidelijke *Greatest Hits*-cassette op. Vier uur lang The Moody Blues, Procol Harum, Boney M., Steely Dan en The Eagles: *You can check out any time, but you can never leave.*

De volgende middag ga ik langs bij de jongens. Ze zijn terug in Bangkok en om niet te veel op te vallen na een rumoerig verblijf in Pakistan, verblijven ze tijdelijk in een guesthouse bij Khao San Road in de wijk Banglampoo. Of dat verstandig is valt te bezien. Het is de wijk van de zogenaamde *travelers*, jonge rugzaktoeristen uit alle hoeken en gaten van het rijke Westen die hier samenklonteren met in de hand allemaal dezelfde reisgids, op weg naar dezelfde guesthouses, restaurants, trektochten en stranden. Niet de natuurlijke habitat van Ray en David.

Het onderkomen voldoet niet aan hun normale kwaliteitseisen, maar wie net uit Pakistan komt, is in Bangkok niet kieskeurig, zou je denken. Fout gedacht. Op de veranda zit Ray achter een tafel vol lege bierflessen en in een humeur om op te schieten. Hij heeft net wekenlang tussen de Paki's gezeten en barst los in een tirade over de wandaden en tekortkomingen van die bevolkingsgroep. Mocht hij daar eindelijk weg, komt hij hier terecht in dit ellendige hok in een buurt vol verwende kinderen en nu is David ook nog gek geworden. Ik moet maar eens boven gaan kijken als ik hem niet geloof.

Boven wacht me een verrassing. Voorovergebogen over een hypermoderne Xerox-tekstverwerker zit David geconcentreerd te werken. Hij typt met de snelheid van het licht en merkt mijn binnenkomst niet op. Ik kuch. Hij kijkt op.

'Waar heb je dat ding vandaan?' vraag ik.

'Heeft CallmeTony zojuist laten brengen, nieuwste model.'

'Ik wist niet dat je kon typen.'

'Diploma typevaardigheid één *en* twee jochie, honderdtwintig woorden per minuut, ik had zo secretaris van de Zakenvrouw van het Jaar kunnen worden.'

Ooit, in een zeer grijs verleden, vertelt David, zat ook hij op school. Daar werd naast de gewone lessen, typevaardigheid voor meisjes en handvaardigheid voor jongens gegeven. Niemand zette daar vraagtekens bij totdat een van de meisjes aangaf per se handvaardigheid te willen volgen. In de schoolreglementen bleek geen enkel bezwaar te vinden te zijn en de scholiere mocht gaan timmeren.

'Een echte ouderwetse pot was dat,' zegt David, 'zo'n tuinbroektype, bijna even groot als ik en volgens mij viel ze ook op hetzelfde soort meiden.'

'Wat voor soort was dat?'

'Beschikbare meiden.'

Het geval bracht hem op een idee. Hij had helemaal geen zin in handvaardigheid en het leek hem veel gezelliger om tussen de jongedames te zitten. Twee schooljaren lang volgde David typelessen en hij hield er een hoop leuke vriendinnen aan over. Er kwam nog wat bij. Volgens David moeten vrouwen nooit toegeven dat ze kunnen typen. Voor ze het weten zitten ze de rest van hun leven de lulpraatjes van een idioot uit te tikken. Voor mannen ligt dat anders. Die moeten juist nooit toegeven dat ze kunnen timmeren. In de loop der jaren heeft David heel wat gemak gehad van zijn typevaardigheid. Als hobby rommelt hij aan auto's, voor klussen waar hamers en spijkers aan te pas komen betaalt hij graag een vakman.

'Wat schrijf je eigenlijk?'

'Ik schrijf over onze avonturen in Pakistan. Wat we daar weer hebben meegemaakt...'

'Ja, ik hoorde van Ray iets over scheuren.'

Ray was nog steeds verontwaardigd toen hij het daarnet vertelde. Door hasj vacuüm te verpakken probeer je te bereiken dat er niets te ruiken valt, ook niet door hasjhonden. Ieder blok wordt na het verpakken direct in een hermetisch afgesloten schuur opgeslagen zodat er geen hasjstof op kan komen. Direct bij aankomst inspecteerden de jongens de opgeslagen lading en vonden tientallen scheuren in de verpakking, met plakband gecamoufleerd. Niemand wist ergens van, maar de hele lading moest opnieuw worden verpakt en alle afspraken moesten verzet worden.

'Dat was nog maar het begin,' zegt David, 'wacht maar totdat je het leest.'

'Of totdat de Gestapo het leest.'

'Je lijkt Ray wel, die begon ook al direct te zeuren. Geen zorgen man, ik heb alle namen veranderd.'

'O fijn, maar waarom moet je het zo nodig allemaal opschrijven?'

Dat komt door dat artikel over die Amerikaanse schrijver, vertelt David. Dat bracht hem op het idee een realistisch en tegelijk humoristisch misdaadverhaal te schrijven. In de vorm van een scenario, want met boeken valt niets te verdienen. Als je de misdaadseries op de Nederlandse televisie bekijkt val je direct in slaap. Dat moet volgens hem veel beter kunnen, zo spannend dat je geen tijd hebt om naar de wc te gaan en zo hilarisch dat je hoe dan ook in je broek pist van het lachen. Een kruising tussen een komedie en een misdaadverhaal, net als het echte leven, hoe moeilijk kan dat zijn?

Met David weet je het nooit, benieuwd hoelang deze obsessie gaat duren.

'Ray zei dat jullie een bedrijfsuitje hebben gemaakt naar de Smugglers Bazar,' zeg ik, 'was dat nog een beetje leerzaam?'

Leerzaam is niet het woord.

In Pakistan verbleven de jongens als gast in het huis van hun goede vriend Hussain, een stamoudste van de Pashtun, in de noordwestelijke grensprovincie. Midden in de *Tribal Areas*, verboden gebied voor overheidsfunctionarissen. Het grootste deel van de tijd verbleven ze daar op het platteland, maar Hussain had contacten in Peshawar en natuurlijk in de beroemde Smugglers Bazar even buiten de stad. Of de jongens daar een kijkje wilde nemen. Dat wilden ze wel.

De Smugglers Bazar is een autonoom gebied, een markt ter grootte van een stad, waar alles verkocht wordt wat god en de autoriteiten aller landen hebben verboden. Hasj, opium, heroïne, paspoorten, vals geld en natuurlijk elk soort wapen dat je kunt bedenken, van schietpen tot zware *Challenger*-tanks. Alles voor groothandelsprijzen en zonder lastige vragen. Voor vijftig cent per kogel mag je een kalasjnikov afschieten, voor vijftig dollar per granaat een bazooka. Een toeristische attractie waarvan veel gebruik wordt gemaakt.

Hussain verzekerde de jongens dat voor toeristen zoals zij de bazar volkomen veilig was en sprak de hoop uit dat ze zich na weken van zware arbeid op gepaste wijze konden ontspannen.

'Smugglers Bazar is not Pakistan,' zei hij met een knipoog.

Zelf ging hij op familiebezoek bij een oude, zieke oom, vertelde hij verder, totaal oninteressant voor zijn geëerde gasten. Vlakbij bevond zich een klein hotel dat hij kon aanbevelen.

'Volgens mij gaat hij rechtstreeks naar de hoeren,' zei David nadat Hussain was vertrokken.

'Zonder mij,' reageerde Ray, 'heb je die opgewarmde lijken gezien?'

David knikte, hij had het gezien en werd er niet blij van. Er zijn van die omstandigheden waarbij het celibaat zijn aantrekkelijke kanten heeft.

'Ooit gaan we terug naar Thailand,' zei David.

'Ooit,' bevestigde Ray.

De dikke eigenaar van het aanbevolen hotel aan de overkant van de weg had duidelijk geen trek in een goed gesprek. De jongens kregen twee kamers met badkamer en veranda op de tweede verdieping, behoorlijk duur, maar niet eens al te smerig. Voordat David zich had geïnstalleerd werd er op de deur geklopt. Een jochie van een jaar of twaalf kwam binnen.

'You want heroin?' vroeg hij zonder inleiding.

David was niet geïnteresseerd in heroïne.

'You want hash?'

Normaal gesproken wel, maar onder de omstandigheden niet nodig.

'You want whisky?'

Ook al niet, maar de jongen liet zich niet ontmoedigen.

'You want gun?'

Verleidelijk, maar erg onverstandig. Niet aan beginnen.

'You want boy?'

'No.'

De jongen begon onrustig te worden.

'You want girl?' vroeg hij met enige aarzeling.

'No.'

Verder kon hij niets meer bedenken.

'You want me?' bood hij aan in een uiterste wanhoopspoging.

David kreeg er genoeg van, werkte hem de deur uit en ging op het bed liggen om de matras te testen. Niet slecht. Na een paar minuten werd er hard op de deur gebonkt. De dikke hotelhouder kwam agressief informeren waarom David niks wilde kopen. Hij matigde zijn toon toen Ray erbij kwam staan. Toch besloten de jongens ter wille van de lieve vrede een *tola* hasj te kopen. Personen die geen illegale waren bezitten of willen aanschaffen, beschouwt men in de Smugglers Bazar als uiterst verdacht. Voor die *tola* wilde de man tien dollar hebben, bijna een dollar per gram. Dat is duizend dollar per kilo. In Pakistan. Volkomen belachelijk. En dan te bedenken dat ze een paar uur verderop twintig ton hadden liggen. Van een veel betere kwaliteit ook nog.

'Het is daar al net zo erg als bij de Efteling of Madurodam,' zegt David, 'trap nooit in een toeristenval, het is overal dezelfde ellende.'

Hussain bleef twee dagen onvindbaar en de jongens vervveelden zich rot. Behalve het bezichtigen van wapentuig en het verhandelen van grote hoeveelheden opium, viel er niets te beleven. Ze keken naar Pakistaanse en Indiase televisieprogramma's, dronken lauw bier, rookten hasj op hun kamer en slenterden door stoffige straten. De derde dag dook hun gastheer weer op, moe maar in een uitstekend humeur. De hele terugweg lag hij ondanks het slechte wegdek achter in de jeep te snurken.

In zijn scenario in wording heeft David voor Hussain een prominente plaats als *bad guy* ingeruimd. Daar is hij volgens hem perfect voor geschikt. Ik heb de man één keer ontmoet bij een bezoek aan Nederland. Mij leek het een keurige zakenman van middelbare leeftijd.

'Een keurige massamoordenaar zul je bedoelen,' zegt David.

Thuis is die keurige zakenman een echte krijgsheer. Hij beschikt over een goed uitgerust privéleger, getraind door bevriende officieren van de ISI, de Pakistaanse geheime dienst. Van tijd tot tijd vecht hij bloedige lokale conflicten uit. Zelf loopt hij dan rond in een fantasie-uniform met munitiegordels op de borst. Behalve op wapens en uniformen is Hussain ook gek op elektronische snufjes. Hij bezit een gecodeerd zend- en ontvangstsysteem, een hele verzameling afluisterapparatuur, de nieuwste uitvindingen op spionagegebied en speelt graag met zijn spulletjes.

Voordat hij de lading hasj aan boord van het vrachtschip in de haven van Karachi bracht, liet hij een zogenaamde *clean sweep* uitvoeren om het schip op elektronische verklikkers te controleren. Vrijwel meteen vonden ze een *tracker*, een apparaat dat eens per uur een signaal uitzendt zodat het schip kan worden gevolgd. De jongens schoten in de stress. Een zender aan boord? Afblazen die operatie. Wegwezen.

Hussain nam het minder zwaar op. In Pakistan bespioneert iedereen iedereen, zei hij, noem het een nationaal gezelschapsspel. Het zou hem niet verbazen als de helft van de schepen in de haven zo'n zendertje aan boord had. De truc was om het

tot eigen voordeel aan te wenden. Bijvoorbeeld door het op
een ander schip te installeren. Voorzichtig verwijderden zijn
mannen de *tracker* en brachten die over naar een naastgelegen
schip. Als straks het elektronische signaal richting Afrika ging,
zou iemand stof tot nadenken hebben. Een giller, vonden de
Paki's. De jongens vonden het minder grappig en maakten zich
ernstig zorgen. Ten onrechte. Het laden verliep verder zonder
incidenten en het schip, met een camouflagelading van diep-
vriesvis, verliet ongehinderd de haven op weg naar Rotterdam.
Daar moet het over een paar weken aankomen. De jongens namen afscheid van Hussain en vertrokken zo snel mogelijk naar
Bangkok.

Ons gesprek heeft David uit zijn concentratie gehaald. Goede gelegenheid voor een kleine pauze. Hij schakelt de tekstverwerker uit, sluit de kamer goed af en gaat mij voor op de wanke-
le trap naar beneden. Daar zit Ray nog steeds met een chagrij-
nige kop aan de grote tafel. Andere gasten blijven zo ver mogelijk uit zijn buurt. Zodra we bij hem komen zitten begint hij
weer te klagen over de beperkingen van Banglampoo.
    'Hoe zijn jullie hier eigenlijk terechtgekomen?' vraag ik.
    'Aan Mick te danken,' zegt Ray. 'Hij liet ons door Callme-
Tony van het vliegveld oppikken en rechtstreeks hiernaartoe
brengen. Vraag mij niet waarom.'
    Mick zelf is een paar dagen de stad uit. Zodra hij terug is ko-
men we bij elkaar om de stand van zaken te bespreken. Callme-
Tony vertelde me hetzelfde toen we gisternacht bij het Phoenix
Hotel aankwamen. We konden daar voor onbepaalde tijd verblijven wat hem betreft. Als hij minder gelukkig was met Nois
aanwezigheid, liet hij dat niet merken.
    'Hoe staat het met de liefde?' vraagt Ray.
    De jongens vinden het hoog tijd dat ik mijn verloofde voor-
stel. Dat vind ik niet. Als ik per ongeluk laat vallen dat we vanavond samen naar de Roxy gaan, omdat Noi wil pronken tegenover haar oude collega's, besteedt David er geen aandacht
aan. Maar Ray springt erbovenop.

'Nu David zijn verstand heeft verloren verveel ik me te pletter hier,' zegt hij, 'ik kom vanavond gewoon ook gezellig naar de Roxy.'

Waarom kan ik mijn mond ook nooit houden?

We bestellen bier en bespreken Davids kunstzinnige bezigheden. Waarom moet dat zo nodig? Hij heeft poen zat.

Dat mag zo zijn, zegt hij, maar een mens moet rekening houden met de toekomst. Hij loopt nu tegen de veertig en begint onderhand genoeg te krijgen van rondrennen en smokkelen. Een heel nieuw geluid, zowel voor mij als voor Ray.

'Wat is er mis met smokkelen?' vraag ik.

'Niets, maar het hoort bij een bepaalde levensfase,' zegt David.

'Levensfase?'

'Het is een spel voor jongemannen en heel binnenkort zijn wij geen jongemannen meer. Je moet stoppen als je nog op winst staat.'

'En Mick dan?' vraagt Ray.

'Mick is de uitzondering, een tiener van middelbare leeftijd. Ik heb groot respect voor hem, maar op zijn leeftijd hoop ik allang met pensioen te zijn.'

Daar zijn we het over eens. Het lijkt erop dat David niet van zijn plan is af te brengen.

'Zolang je ons er maar buiten laat,' zeg ik.

Wat mij betreft wil hij dat best toezeggen. Met Ray ligt het anders, een onweerstaanbaar personage waar een beetje scenarioschrijver niet omheen kan.

'Maar waar vind je ooit een acteur die hem kan spelen?' vraag ik.

'Waar vind je een acteur die hem *wil* spelen,' zegt David, 'voor je het weet heb je de vakbond op je dak.'

Ray reageert niet. Hij heeft tien flessen bier op en gaat een uurtje slapen. David wil weer aan het werk. Tijd om op te stappen.

'Tot vanavond,' roept Ray me na.

Ik hoop dat hij zich verslaapt.

Twee neonlampen in het uithangbord boven de ingang van de Roxy hebben het begeven. Te zien is nu het silhouet van een naakte, verminkte vrouw, zonder rechterborst en rechterarm. Binnen is het rustig, de meiden wachten op klanten en hangen wat rond aan de bar. De muziek staat zachter dan normaal. Noi draagt bijna alle sieraden die ze bezit en de duurst mogelijke combinatie kledingstukken. Ik heb vergeefs betoogd dat minder overdaad stijlvoller kan zijn, maar daar gaat het haar helemaal niet om. De meiden in de Roxy weten precies wat dingen kosten. Haar status staat op het spel.

Terwijl ik de verhalen van Ray en David aanhoorde, bracht Noi een bezoek aan Siam Square, een gebied met dure warenhuizen en luxe boetieks. Toen ik terugkwam lag de hotelkamer vol tassen, kleren en schoenen. Ze had zich ook van een nieuw, asymmetrisch kapsel laten voorzien. Doodzonde. Het koste haar uren en tientallen keren omkleden voor ze tevreden was met het ensemble dat haar vriendinnen in de Roxy de ogen moest uitsteken.

Ze slaagt in haar opzet. De meiden dringen om haar heen, bewonderen haar kleren, sieraden, kapsel en vragen honderduit. Noi bestelt *ladydrinks* voor iedereen. Ze heeft het helemaal gemaakt. Ik onttrek me aan de belangstelling en kijk rond. In een hoek achterin zie ik haar Laotiaanse vriendin, de Captagon Queen. Alleen aan een tafeltje. Ik ga bij haar zitten. Ze begroet me met een *wai*.

'You ok?' vraagt ze.

Ik ben prima in orde, en hoe gaat het met haar?

Niet slecht.

We zijn uitgepraat.

Een grote groep Scandinavische toeristen heeft de Roxy gevonden. De meiden moeten aan het werk en Noi komt bij ons zitten. De vriendinnen omhelzen elkaar op westerse wijze en beginnen een langdurig gesprek. Te langdurig naar mijn smaak.

'Excuse me beautiful lady. Can I have drink please?' vraag ik en knipper verleidelijk met mijn ogen.

Ze beginnen te lachen.

'Ok, we speak English,' zegt Noi.

Een zware slagschaduw valt over ons tafeltje. Ray heeft zich niet verslapen. Hij slaat mij hard op de rug en maakt een buiging voor de dames. Noi maakt een *wai*, de Captagon Queen steekt haar hand uit, stelt zich voor en blijkt een naam te hebben: Dara.

'Same evening star,' voegt ze eraan toe.

Ray schudt voorzichtig de uitgestoken hand.

'Is dit nou je verloofde,' zegt hij, 'ander type dan ik verwachtte, veel te verfijnd voor een figuur als jij.'

Ik haast me het misverstand op te helderen. Ray bekijkt Noi op zijn gemak en maakt dan een slordige *wai* in haar richting. Dat heb ik hem niet eerder zien doen.

'Dat lijkt er meer op,' zegt hij tegen mij.

En tegen Noi: 'Pas je wel een beetje op hem. Zonder toezicht van een verantwoordelijk persoon brengt hij zichzelf gegarandeerd in de problemen.'

Noi begrijpt er niets van.

'He crazy farang,' vertaalt Ray.

Noi knikt heftig. Die twee hebben elkaar helemaal gevonden.

Dara voelt zich verwaarloosd. Of Ray zelf ook een *crazy farang* is, wil ze weten.

Dat hij een *farang* is kan hij niet ontkennen, antwoordt Ray, maar *crazy*, welnee. Goed, in zijn jonge jaren heeft hij zich wel eens ondeugend gedragen, maar tegenwoordig is hij een rustige, vredelievende man van middelbare leeftijd zonder al te veel slechte gewoonten. Dat stadium heb ik nog niet bereikt en daarom houdt hij mij in het oog. Een vermoeiende taak, hij zal blij zijn als ik een goede vrouw vind om die taak van hem over te nemen.

Thai hebben geen gevoel voor ironie en de meiden weten niet goed hoe ze moeten reageren. Als Ray begint te lachen, doen ze opgelucht mee. IJs gebroken. Die Ray toch. Altijd verrassingen. Noi en Dara vinden hem duidelijk reuze charmant. Waar is dat beroemde inzicht in de mannelijke psyche plotseling gebleven? In normale doen is hij ongeveer even charmant als een neushoorn met aambeien. Benieuwd hoelang hij dit volhoudt.

De manager komt bij de tafel staan, maakt een hoge *wai* in de richting van ons gezelschap, praat even met Noi en biedt drankjes van het huis aan. Het gesprek met CallmeTony heeft blijkbaar indruk gemaakt. Hij biedt haar een baan aan, zegt Noi als hij vertrokken is, een baan als *mammasan* in de Roxy, als bedrijfsleidster die zelf niet danst of met mannen meegaat. Een keurige baan en goed betaald.

Ja hoor, ik wist wel dat het onderwerp terug zou komen. Waarom wil iedereen haar met alle geweld terugslepen naar de bars waar ik haar juist uit probeer te halen? Wat vindt Ray er nou van, vraag ik. Dat moet iedereen zelf maar uitmaken, zegt hij, behalve natuurlijk als je getrouwd bent. Je kunt je vriendin best in een blotetietenbar laten werken maar onder geen beding je vrouw. Nooit geweten dat hij zo conservatief is.

Noi laat het rusten, haar tactiek zou zo uit een guerrillahandboek kunnen komen: herhaalde, onverwachte aanvallen, gevolgd door een snelle terugtocht om confrontatie met de superieure vuurkracht van de tegenstander te vermijden. Als onze kolonel ooit opduikt moet ik hem eens vragen wat in militaire termen de juiste reactie is op die tactiek.

Noi schakelt soepel over van gogobars op tempels en heiligdommen. Bangkok sterft ervan. Thai krijgen het voor elkaar tegelijk boeddhist en animist te zijn. Vreemde combinatie. Het boeddhisme spreekt van ouderdom, ziekte, dood. Lijden is het gevolg van willen en komt van binnenuit, vanuit het vermaledijde ego. Animisten geloven precies het omgekeerde: alles wordt van buitenaf beïnvloed door allerhande geesten en met die geesten valt meestal wel te praten. Thai combineren de tegengestelde visies moeiteloos. Nois favoriete heiligdom in Bangkok is Lak Muang: Hart van de Stad der Engelen en woonplaats van Phra Sayam Thewathirat, beschermgeest van Bangkok, vervuller van uiteenlopende wensen. Morgen wil ze me meenemen om hem te ontmoeten.

Goed plan, vindt Dara, en als we dan toch in de buurt zijn moeten we ook Wat Pho aandoen. De tempel zelf stelt weinig voor, maar op de tweede binnenplaats zetelt een van de beste waarzeggers van het land. Die moeten we beslist raadplegen, zelf komt ze er iedere week. Noi belooft het.

Dan is het tijd voor gezamenlijk toiletbezoek. Ook weer zoiets. Meiden in een kroeg gaan nooit één voor één, maar altijd samen even ontspannen, onder elkaar tutten en roddelen. Het toilet van de Roxy lijkt me daar nauwelijks geschikt voor. We kijken ze na.

'En?' vraag ik.

Ray kijkt ernstig.

'Dat is een wilde dame,' zegt hij, 'eentje met ambities, kijk maar uit.'

Zijn dat harde feiten, wil ik weten, of gewoon intuïtie?

Vooral dat laatste, geeft hij toe. Die Dara lijkt hem een veel rustiger en betrouwbaarder type. Tot zover Rays inzicht in vrouwen.

Noi en Dara schuiven weer aan. De Roxy begint vol te lopen en alle meiden hebben het druk. Het volume van de muziek gaat omhoog. Gesprekken worden onmogelijk. Voor Noi valt er zo niet veel eer meer te behalen. Tijd om terug te gaan naar het hotel, vindt ze. Ter afscheid bestelt ze nog een rondje *lady-drinks*. Voor een kleine honderd dollar bereikt ze zo de status van levende legende. Ray blijft nog even hangen. Als ik bij de uitgang omkijk zie ik de Captagon Queen, alias Dara, zich naar hem toe buigen. Ze wijst naar ons en schreeuwt iets in zijn oor. Ray grijnst.

*

Het Hart van Bangkok staat in de steigers. De stadsgod Phra Sayam Thewathirat moet zijn woning delen met tientallen bouwvakkers. Die hameren en boren in de wanden van zijn privévertrekken, bouwen stellages en slepen met stapels stenen rond.

Noi wilde me graag het heiligdom laten zien en we hebben genoeg tijd voor een toeristisch uitstapje. CallmeTony vertelde me vanmorgen dat Mick vanmiddag terug in de stad is en iedereen om vier uur in de Pink Panther verwacht. Hij heeft het de jongens ook laten weten.

Ik krijg een folder van de TAT, Tourism Authority Thailand, in mijn handen gedrukt. Lak Muang is het officiële centrum van Bangkok. Een drie meter hoge pilaar, opgericht door Rama I, toen die aan het eind van de achttiende eeuw van Bangkok zijn hoofdstad maakte. Afstanden binnen de stad worden vanhieruit gemeten. De hoofdpilaar is bedekt met bladgoud en omringd door kleinere pilaren, op hun beurt bewoond door ondergeschikte geesten. Veel toeristen zijn er niet, maar Thai des te meer. Ze bidden en branden wierook. Ze vragen de stadsgod om liefde, geluk, fortuin, om een winnend lottonummer, een nieuwe baan. In een zijvertrek wacht een kleine troep klassieke danseressen in vol ornaat. Wie zijn verzoek aan de godheid extra kracht wil bijzetten kan voor een bescheiden bedrag enkele passende dansen uit laten voeren.

Die kans laat Noi niet schieten, ze heeft loten gekocht en wil haar kansen zoveel mogelijk vergroten. De kostuums zijn prachtig en de dansen zelf ongetwijfeld heel subtiel. Het duurt alleen wel lang. Erg lang. Als we eindelijk vertrekken komt een man op ons af. Over zijn schouder draagt hij twee lange bamboestokken met daaraan tientallen vogelkooitjes. In iedere kooi zit een zielig bruin vogeltje. Voor twintig baht, minder dan een dollar, mogen we het vogeltje vrijlaten. Instant karma voor beginners. Noi koopt er tien.

Ik houd mijn mond. Iemand heeft me ooit eens over die vogeltjes verteld. Het zijn junkies. De eigenaren voeren ze bolletjes zaad vermengd met opium. Een paar minuten na vrijlating vliegen ze rechtstreeks terug naar hun dealer. Geen verhaal om aan je opgetogen vriendin te vertellen, zelfs niet als ze Thai is.

Wat Pho is de volgende stop op het programma. De oudste tempel van Bangkok kan wel een verfje gebruiken. Op de binnenplaats treffen we niet één waarzegger aan, maar drie. Dat plaatst ons voor een typisch Nederlands probleem: wie van de drie? Eentje is een vrouw, die valt af. De andere twee zijn bezig met klanten. We besluiten de eerste te nemen die vrijkomt. Noi gaat op een bank in de schaduw zitten wachten en raakt in gesprek met twee jonge monniken, ik wandel de binnenplaats rond. Die is bijna zo groot als een voetbalveld. Gras groeit tussen de tegels, pleister bladdert af van de muren. Half verborgen onder struiken is een doorgang naar een kleinere binnenplaats. Wacht eens even. Dara had het over een waarzegger op de tweede binnenplaats. Waar zijn we nu? Noi vraagt het aan een van de monniken. Die bevestigt mijn vermoeden. We zijn hier op de Eerste Binnenplaats.

De beroemde waarzegger zit onder een boom te dutten. Verder is de binnenplaats verlaten. Ik schraap mijn keel. De waarzegger opent een oog en glimlacht. Het is een man van een jaar of zestig, of misschien veel ouder, met een mager gezicht en een half gouden brilletje op zijn neus. Hij is gekleed in een wijd groenrood gewaad en heeft een soort rode mijter op zijn hoofd. Om zijn nek hangen tientallen amuletten, aan al zijn vingers zitten ringen.

Een consult kost slechts honderd baht, laat hij ons weten met een zware basstem die niet past bij zijn verschijning. Een habbekrats voor exclusieve kennis over verleden, heden en toekomst. Ik betaal en ben als eerste aan de beurt. Hij bestudeert mijn handpalmen, de vorm van mijn ogen, neus en mond en laat me een paar kaarten trekken. De resultaten worden genoteerd en vergeleken met de tabellen in een dik boek dat hij voor zich heeft liggen. De uitkomst is positief: 'Have very good fortune,' zegt hij.

Volgens de waarzegger is mijn gezondheid uitstekend. Ik zal lang en gelukkig leven en veel geld verdienen. Precies wat ik van plan was. Wel moet ik de komende tijd oppassen voor een ongeluk. Ok, ik zal goed uitkijken voor ik oversteek.

Dan is Noi aan de beurt. De waarzegger is een hele tijd aan het woord. Haar gezicht betrekt. Ik vraag wat ze te horen heeft gekregen. Weinig bijzonders, zegt ze, ongeveer hetzelfde als ik: lang leven, geld, oppassen voor een ongeluk.

Dat zullen we dan maar doen.

Het tempelcomplex is groot en ingewikkeld. We dwalen wat rond en komen bij een paviljoen waar een dozijn masseurs, mannen en vrouwen, bezig is met klanten op lage brede rustbedden. Andere klanten zitten met nummers in hun hand te wachten.

Noi praat met een paar van de masseurs. Het zijn allemaal studenten van de massageschool, vertelt ze. Wat Pho is van oudsher een centrum voor beoefening en onderwijs van traditionele Thai geneeskunst, waaronder massage. De studenten hebben oefenmateriaal nodig.

Traditionele massage heb ik niet eerder geprobeerd. Noi beveelt het van harte aan. Het is de eerste keer dat ze belangstelling voor massage toont. Soms kneedt ze mijn nek en schouders in de douche, daar blijft het bij. Ze heeft andere kwaliteiten.

We betalen tweehonderd baht en krijgen ieder een masseur toegewezen. Terwijl een stevige jongeman de knopen in mijn nek en rug onder handen neemt, krijg ik een briljant idee: waarom zou Noi geen massageopleiding in Wat Pho volgen? Het geeft haar overdag wat te doen in een heel andere omgeving, ze leert een vaardigheid die nog van pas kan komen en na afloop ontvangt ze een echt diploma. Ideaal.

De cursus duurt twee maanden, krijgen we te horen en kost een paar duizend baht. Behalve Thai massage zijn er ook opleidingen in de traditionele en de kruidengeneeskunde. Als die massagecursus een succes wordt kan ze verder studeren. Noi heeft er wel oren naar. Het hoofd van de school is op dit moment niet aanwezig, morgen kunnen we terugkomen voor meer informatie. Noi wil op haar gemak de rest van de tempel bekijken. Ik kijk op mijn horloge. Drie uur, het verkeer staat rond deze tijd overal muurvast. Er is maar één manier om op tijd bij de Pink Panther te komen, met een vervoermiddel dat ieder verstandig mens tracht te vermijden. Het laatste redmiddel: de motortaxi.

De rit kost me een paar jaar van mijn leven, maar ik ben ruimschoots op tijd. De directievergadering vindt plaats in het kantoor van Mick op de tweede verdieping. Aanwezigen: Mick, Ray, David en ik. We wachten op CallmeTony. De ruimte ziet er niet uit zoals je verwacht in een gogobar. Houten vloeren, witte muren, spaarzaam ingericht met een leren bankstel en een groot bureau. Langs de wanden boekenkasten, op het bureau alleen een telefoon, een notitieblok en een leesbril. In de hoek staat een boeddhabeeld met een krans van witte bloemen om de nek en een schaaltje fruit aan zijn voeten. Mick ziet mij kijken.

'Antiek,' zegt hij, 'elfde eeuw, Khmerstijl. Waarschijnlijk gejat uit Angkor. Van een relatie uit Cambodja gekregen.'

Mick is net terug uit het noorden, inspectie van de velden. Hij wil er niet veel over kwijt. Voor zover ik weet is geen van ons er ooit geweest. Nergens voor nodig dat iedereen de locatie kent.

Ray informeert hoe het bij de Stadsgod is afgelopen. Die zit midden in een verbouwing, zeg ik. We moeten wachten op de uitslag van de lotto, maar hij heeft vast geen al te best humeur. Ik vertel over mijn plan om Noi naar de massageschool te sturen.

'Goed idee,' vindt Ray, 'altijd prettig een vriendin te hebben die goed kan masseren.'

Een opvallend mild commentaar voor zijn doen.

Zelf heeft hij ook een tempel bezocht, zegt hij.

Verbazing alom. Ray? Tempel?

Welzeker, zegt hij, samen met Dara. Toeristisch gedoe is niets voor hem, maar ze heeft beloofd hem een paar bijzondere plekken te tonen die *farang* anders niet te zien krijgen. Ze hield woord. De tempel lag in een middenklassewoonwijk en was in geen gids te vinden. Om er te komen moesten ze via een smalle gang tussen de woonblokken door lopen. Aan het einde lag een binnentuin met een grote ficusboom in het midden en een kleine stenen tempel. Heilige grond, zei Dara, gewijd aan de vruchtbaarheid. Een bedevaartsplek voor vrouwen die zwanger willen worden.

'Zoiets pervers heb je nog nooit gezien,' zegt Ray, 'een hele tuin met gigantische lullen, tientallen, honderden, van steen en hout, tot zeker twee meter hoog. En overal keurige dames die rondjes lopen, wierook branden en zich tegen die pikken aanwrijven.'

Ray en de Captagon Queen hand in hand in een tuin vol lullen. Mooi poëtisch beeld.

'Pas maar op dat die meid niet zwanger raakt,' zegt David.

Ray is verontwaardigd. 'Doe ik eens iets cultureels, is het weer niet goed.'

Hij heeft Dara met geen vinger aangeraakt, beweert hij. Haar echte naam is Bounthieng en ze is van een goede familie, afkomstig uit de oude koningsstad Luang Prabang. Morgen zal ze hem een slangentempel laten zien. Wie mee wil, is welkom. Ja leuk, en dan Noi meenemen, kunnen we lachen.

'Hoe gaat het met je scenario?' vraag ik aan David.

'Heel behoorlijk,' zegt hij, 'maar ik kwam wat technische problemen tegen.'

Vanmorgen is hij naar de bibliotheek van de British Counsel gegaan en daar heeft hij twee boeken over *screenplay writing* gejat. Mick wil weten waar we het over hebben. Voordat iemand aan een uitleg kan beginnen komt CallmeTony binnen. David is gered door de bel. De vergadering kan beginnen.

Mick heeft nieuws. Goed nieuws en slecht nieuws. Het goede nieuws: de kolonel is weer boven water. Het slechte nieuws: de kolonel is onbruikbaar. Vlak voordat Mick naar het noorden vertrok troffen voorbijgangers de kolonel buiten bewustzijn aan bij een bushalte in een buitenwijk van Pattaya. Hemelsbreed nog geen vijf kilometer van zijn villa. In het ziekenhuis deed men uitgebreid onderzoek. De patiënt vertoonde geen uitwendige verwondingen, behalve sporen van injecties op zijn armen en schaafwonden bij de polsen, vermoedelijk veroorzaakt door handboeien. Ook leed hij aan uitdrogingsverschijnselen. Niets om je zorgen over te maken. Behalve dan dat de patiënt volkomen catatonisch was.

En dat is hij nog steeds.

Mick ging naar het ziekenhuis om zich te laten voorlichten door de behandelende artsen. Die waren niet optimistisch, Mick schreef het allemaal op.

Hij pakt het notitieblok, zet zijn leesbril op en leest voor: '*Catatonische stupor* is een onbeweeglijke, apathische toestand, zonder reactie op externe stimuli. Motorische activiteit is nagenoeg afwezig. Patiënten blijven voortdurend in vrijwel dezelfde houding. Er is geen verbale communicatie mogelijk. *Catatonische opwinding* is een toestand van bizar gedrag, schreeuwen en lichamelijke onrust. Ook in deze toestand is geen of weinig contact te krijgen met de patiënt. Beide toestanden kunnen elkaar snel afwisselen zonder waarneembare oorzaak.'

Kortom, onze kolonel ligt stijf als een plank in bed, om het volgende moment wild schreeuwend met zijn armen rond te maaien. Een zinnig woord komt er niet uit. Waardoor zijn toestand veroorzaakt wordt kunnen de artsen niet zeggen. Acute catatonie is uiterst zeldzaam. De enige oorzaak die ze kunnen bedenken is een vorm van vergiftiging, mogelijk door foutieve medicatie.

Mick bladert in zijn notitieblok: 'Eveneens mogelijk is catatonie als symptoom van *malignant neuroleptic syndrome*, een zeldzame bijwerking van medicatie, met name antipsychotica.'

Waarom zou iemand een geestelijk min of meer gezonde kolonel antipsychotica toedienen?

Mick heeft een theorie. Volgens hem is de kolonel ontvoerd, en wel door amateurs. Daar kijken we allemaal van op, behalve CallmeTony. Hij knikt bedachtzaam.

'Have many kidnapping Thailand,' beaamt hij.

Dat gaat hier blijkbaar heel anders dan bij ons. Toen in Nederland twee jaar geleden een van de grootste drugshandelaars ter wereld, biermagnaat Freddy Heineken, werd ontvoerd, liep dat uit op een mediacircus. De daders vingen miljoenen, werden gepakt en gingen er weer vandoor. Ze gaven interviews op tv, groeiden uit tot beroemdheden en zitten nu nog steeds in een hangmat op een Caribisch eiland te wachten op uitlevering.

Thaise ontvoeringen komen niet op televisie en zijn niet terug te vinden in kranten of misdaadstatistieken. Het betreft nooit buitenlanders en is strikt een spelletje voor Thai onderling. Niemand loopt naar de politie, al was het alleen maar omdat die vaak zelf betrokken is. Meestal gaat het om welgestelde lieden die ontvoerd worden voor losgeld, of om conflicten in de zakenwereld. Zolang de uitvoering in handen is van professionals loopt het zelden uit de hand. Problemen ontstaan bij ontvoeringen door amateurs uit wraak of ter beslechting van familievetes.

Het lastigste aan een ontvoering is het langdurig vasthouden van het slachtoffer zonder te worden opgemerkt. Beroepsmensen hebben veilige huizen en getrainde bewakers tot hun beschikking. Amateurs gaan vaak over tot het verdoven van de gijzelaar en dat wil nog wel eens misgaan. Om iemand langdurig onder zeil te houden is sterke medicatie nodig. Dat is al link genoeg als je weet wat je doet. Zo niet, dan kan er van alles gebeuren.

Zeker zullen we het nooit weten, maar Mick denkt dat de kolonelsfamilie betrokken was bij een plaatselijk geschil. Hij werd gekidnapt en verdoofd. Na verloop van tijd kwamen de ontvoerders erachter dat ze per ongeluk zijn hersenen hadden opgeblazen. Ze dumpten hem bij een bushalte en maakten zich uit de voeten. Volgende keer beter. Het is vrijwel uitgesloten dat het iets met ons project te maken heeft, maar we zitten er wel mooi mee. Mick grijpt weer naar zijn notities.

'Er bestaat geen standaard farmacologische behandeling voor het *malignant neuroleptic syndrome.* Zonodig worden vocht per infuus en voeding via een sonde toegediend en andere lichamelijke problemen behandeld.'

Met andere woorden, ze geven geen cent voor de kansen van kolonel Singhnoi Chomphupol en dat is knap vervelend voor hem. Wij zijn vooral opgelucht. We kunnen weer aan het werk, maar eerst moeten we een alternatieve laadplek, een kapitein en een bemanning zien te vinden.

Niet nodig, zegt Mick, daar heeft hij zelf al voor gezorgd.

De nieuwe laadplek, bij Cha-am, is nog geen tien kilometer van Hua Hin, waar de *Sea-Horse* ligt. De kapitein kwam gisteren aan en reisde meteen door om het schip te inspecteren. Het is een oude vriend van Mick, een Amerikaan die normaal gesproken goud en diamanten smokkelt vanuit Singapore. Hij heeft een Filippino meegebracht die al jaren als zijn vaste maat werkt. Alles geregeld.

Alles?

Bijna alles. Mick wendt zich tot mij.

'Ze zijn klaar om te vertrekken, maar komen nog een bemanningslid tekort. Jij wilde toch wat te doen hebben? Dan ben je hierbij aangenomen als lichtmatroos.'

Dat bevalt me helemaal niet. Met schepen heb ik niks. De enige keer dat ik buitengaats ben geweest was tijdens een tochtje op een vissersboot. Het waaide stevig en we kwamen ergens waar de stromingen op elkaar botsten, met angstaanjagend hoge golven als gevolg. Lekker fris weertje, vonden de meeste passagiers. Ik stond de hele tocht lang te kotsen over de railing.

'Je went er wel aan,' zegt Mick.

Dat betwijfel ik en bovendien, hoe moet het dan met Noi?

'Dat meisje wacht wel,' zegt David, 'en zo niet dan neem je gewoon een ander exemplaar, keus genoeg.'

Dat is waar, maar ik heb nu eenmaal gekozen.

'Zei je net niet dat ze voor twee maanden het klooster ingaat?' vraagt Mick. 'Dat komt dan toch prachtig uit?'

'Plaag die arme jongen niet zo,' zegt Ray, 'zo'n kalverliefde kan een diepe indruk achterlaten op een jonge en broze geest. Daar moet je niet mee spotten.'

De drie samenzweerders zijn het wel heel erg met elkaar eens. CallmeTony heeft nog weinig van zich laten horen. Wat vindt hij ervan?

'I think, better you go boat,' zegt hij en glimlacht.

Dat geeft de doorslag. Niks geen boot, ik pieker er niet over. Ze zoeken maar een ander. Ik blijf lekker in Bangkok.

10

De hondewacht noemen ze het, van twee uur 's nachts tot zes uur in de ochtend. De kapitein en de eerste matroos liggen te slapen, de lichtmatroos houdt de wacht. De *graveyard shift* gaat automatisch naar de laagste in rang. Het is nu half vier. Krampachtig houd ik het stuurwiel vast en probeer het kompas af te lezen. De motor hapert. Of toch niet. Eigenlijk moet ik de machinekamer controleren, maar ik durf het dek niet te verlaten. Er kan van alles gebeuren: storm, een aanval van piraten, een vrachtschip opduikend uit de duisternis. In de regen is het zicht hoogstens honderd meter. Mijn enige zekerheid is dat we niet tegen een ijsberg zullen varen.

Bij kalm weer zijn mijn taken beperkt: wakker blijven, omgeving in de gaten houden, autopiloot en motoren controleren. Bij werkelijk zwaar weer, druk vaarwater of de noodzaak van een koersverandering, neemt de kapitein over. Dit zit er tussenin, ruwe golfslag, harde windvlagen en regen. Niet ernstig genoeg om de kapitein erbij te halen. Hij heeft een koers aangegeven die ons twintig mijl uit de kust van Sabah moet houden en is gaan slapen. De autopiloot staat vanwege het weer uitgeschakeld, ik moet zelf koers zien te houden. Dat lijkt makkelijk, maar kleine afwijkingen kunnen ons mijlen uit koers brengen. Voor je het weet zitten we tussen de rotsen of in een vaargeul voor grote vrachtschepen.

De wind fluit en buldert, golven breken op het dek, touwen klapperen tegen de masten. Herstel. Aan boord van een schip bevinden zich geen touwen. Wel schoten, vallen en stagen. Voor de niet-ingewijden: dat zijn touwen, grote, kleine, dikke, dunne, maar het blijven touwen. Onderscheid moet er zijn. Je moet weten waar je het over hebt tijdens een plotseling opgestoken storm, maar waarom zo ingewikkeld? Geef die touwen gewoon nummers. Veel makkelijker te onthouden.

Het waait steeds harder. Het dek trilt onder mijn voeten, het schip schudt heen en weer, alles beweegt. Dit begint verdacht veel op een storm te lijken. We duiken in een diep golfdal, maken een vrije val, komen met een zware klap neer, krijgen een plens water over het dek en ploegen moeizaam de volgende golf op. Zo is het wel mooi geweest. Tijd om de kapitein wakker te maken.

Die kapitein heet Keith en is een forse, langharige Vietnam-veteraan die na de oorlog in Azië bleef hangen en er geen prijs op stelt voor niets te worden gewekt. Dat is me al twee keer gebeurd. Bij die gelegenheden verscheen hij met een slaperige kop aan dek, constateerde dat het hoogstens om een stevige bries ging, schold mij verrot en ging weer slapen. Vervolgens stond hij opzettelijk veel te laat op zodat ik pas om acht uur werd afgelost. Dat moet hij niet nog een keer flikken. Een kapitein bezit aan boord van zijn schip dictatoriale bevoegdheden en zo hoort het ook. Democratische besluitvorming is onge-schikt voor noodsituaties op volle zee. Maar er bestaat ook nog zoiets als machtsmisbruik. Ik heb *De muiterij op de Bounty* ze-ker twee keer gelezen, kapitein Keith moet oppassen.

Ook deze keer is het niet goed.

'Dit is godverdomme een halve orkaan,' schreeuwt hij, 'had je me niet eerder wakker kunnen maken?'

Keith neemt het stuurwiel over en roept de Filippino. Alle hens aan dek, dit is meer dan een stevige bries. In de volgen-de uren ontwikkel ik een gezond respect voor de kwaliteiten van mijn kapitein en zijn eerste matroos. Van alle kanten tege-lijk storten de golven zich op het schip. Het ene moment zwe-ven we op een golftop, het volgende moment vallen we als een baksteen naar beneden. Kapitein Keith probeert met de golven mee te sturen, schuin naar beneden, schuin weer omhoog. De eerste matroos is overal tegelijk en schreeuwt mij bevelen toe: houd dit vast, trek hier aan, duw daar tegen, loop niet in de weg.

Langzaam wordt het licht. De storm raast door, de zee is

overdekt met wit schuim, het zicht is niet meer dan een paar meter. Hoge rollers slaan over het dek. We zijn alle drie met lijnen gezekerd. Kapitein en matroos hebben zeebenen, ik ben al een paar keer gevallen. Tand door mijn lip, pijnlijke knie, verkleumd, nat, uitgeput. Sommige mensen doen dit voor hun plezier.

Keith wijst op de windmeter.

'Kapot. Boven de honderd. Bestaat niet.'

Hoog in de mast zit een molentje met schoepen om de windsnelheid te meten. We kijken alle drie naar boven en zien nog net hoe het ding afbreekt en door de storm wordt meegevoerd. We hebben te maken met windkracht 11, oftewel een zeer zware storm. Aan land raken tijdens zo'n storm bomen ontworteld. Dakpannen vliegen weg, kinderen worden omvergeblazen en vogels blijven aan de grond. Op zee wordt een notedop als de *Sea-Horse* vermorzeld door tonnen water. Sturen is nu zinloos. Meer dan tien meter hoge golven smijten ons van links naar rechts, het schip kreunt en kraakt. Het lijkt eindeloos te duren. Dan neemt de wind af tot het niveau van een normale storm, windkracht 8, schat Keith. Eitje voor een stel geharde zeebonken zoals wij.

De *Sea-Horse* is een zeventig voet schoener met een zes cilinder, 180pk-dieselmotor. Geen zeiljacht, maar een motorschip met zeilen. De huidige eigenaar van het schip is Mick, de toekomstige eigenaar is kapitein Keith. Als loon voor zijn diensten heeft hij het schip bedongen. Hij wil samen met zijn maat charters gaan varen in de Filippijnen. Charters? Alweer? Dat hoor je vaker dezer dagen. Mick vond het een prima regeling. Hij wilde toch al van het schip af. Iedereen blij. Behalve ik.

Natuurlijk vertrokken we niet volgens plan.

'Twee dagen,' zei Mick.

Het werd een week. Aan mij lag het niet, aan Noi ook niet. Ik verwachtte protesten, problemen, huilbuien, ruzie. Niets van dat alles. Ze kon niet wachten om met haar massageopleiding te beginnen. Dolenthousiast kwam ze terug van Wat Pho met een stapel brochures in de hand. Er zat zelfs een folder in het Engels bij want Wat Pho organiseert ook speciale massagecursussen voor *farang*. Speciaal, in de zin dat die een maand korter duren en drie keer zoveel kosten. De extra opbrengsten worden gebruikt voor restauratiewerkzaamheden aan de tempel. Volgens de folder tenminste. De meeste buitenlandse studenten logeren in hotels en guesthouses in Banglampoo, voor degenen die in de tempel zelf willen verblijven zijn gastenverblijven beschikbaar. Geen kloostercellen, maar ruime, schone kamers, voorzien van airco, eigen badkamer en alle moderne gemakken. Kost wel wat, en veel gebruik wordt er dan ook niet van gemaakt.

Ik verwachtte ongeveer een maand weg te zijn. In die periode leek het gastenverblijf van Wat Pho de ideale plek om Noi veilig te stallen. Weinig gevaar dat ze non zou worden. Ik betaalde voor de cursus en de huur en hielp Noi haar spullen naar de tempel te brengen.

Schuldig aan de vertraging was CallmeTony. Volgens kapitein Keith tenminste. Hij inspecteerde de *Sea-Horse* en bracht rapport uit. Het schip bevond zich in goede staat, de reparaties waren bekwaam uitgevoerd, de voorraden compleet, de tanks tot de rand gevuld. Maar hoe groot waren die tanks nu helemaal, wist iemand dat?

CallmeTony wist het. Hij liet zelf de tanks vullen met drieduizend liter diesel van uitstekende kwaliteit en voor een nette prijs.

'Mooi,' zei Keith, 'en hoe ver denk je daarmee te komen?'

Daar stond CallmeTony niet bij stil. Zijn opdracht luidde: schip van de ketting praten, repareren, bevoorraden. Dat deed hij. Volle tank is volle tank.

Zo eenvoudig lag dat niet, zei Keith.

Onze landingsplek in Australië ligt even ten zuiden van Darwin, midden in de wildernis. Vanuit de Golf van Thailand naar Darwin bestaan er twee routes: rechtstreeks naar het zuiden, via de noordkust van Sumatra, tussen Java en Sumatra door, langs de Javaanse zuidkust. Afstand 3260 zeemijl, reisduur twintig dagen bij een gemiddelde snelheid van zeven knopen.

De oostelijke route loopt langs Brunei, Sabah, Davao, de Molukken en dan zuidwaarts via de Bandazee naar Darwin. Afstand 3520 zeemijl, reisduur eenentwintig dagen.

Aan die route gaf kapitein Keith de voorkeur. Een dag langer, maar minder druk bevaren, kans op controles kleiner, betere weersomstandigheden. Hij rekende voor: 'Het grootste deel van de tijd zullen we op de motor varen. Ga dan maar uit van driehonderd liter diesel per dag. Die volle tanks zijn halverwege de reis leeg. Ergens bij de Molukken. Niet zo handig.'

Mick kwam tussenbeide. Zijn schuld, hij had CallmeTony een duidelijker opdracht moeten geven. Thai. Geen rekening mee gehouden. Voor een normale tocht zou die drieduizend liter voldoende zijn. Havens genoeg om bij te tanken. Met een lading als deze kon dat beter vermeden worden. Gelukkig bestond er een standaard oplossing voor het probleem: *Goodridge Fuel Bladders,* gigantische plastic zakken met elk twaalfhonderd liter diesel, die onder in het schip worden gelegd. Keith liet er drie bestellen, levertijd vijf dagen.

De nacht voor vertrek brachten we door in het Phoenix Hotel. Noi vroeg of ik het goed vond dat ze haar vriendinnen in de Roxy af en toe ging bezoeken. Dat kon ik moeilijk niet goed vinden, maar wanneer wilde ze dat doen? Overdag studeert zij en 's nachts werken haar vriendinnen. Daar had ze al aan gedacht. De vroege avond zou een prima tijd zijn. Rond die tijd zijn de meiden al aanwezig, de klanten komen pas later. Als ze dat zo graag wilde moest het maar, zei ik, zolang ze niet in die tent ging werken. Dat was ze beslist niet van plan, integendeel, ze wilde hard studeren om me goed te kunnen verwennen als ik terugkwam. Daar zou ik tegen die tijd zeker grote behoefte aan hebben. Een echte zeeman heeft in ieder haven een ander schatje, maar als alles goed ging zouden wij geen havens aandoen.

Mick bracht me hoogstpersoonlijk met de Citroën naar Hua Hin. David en Ray kwamen mee om te helpen met laden. Ze ruzieden de hele weg. David verbleef nog in het guesthouse in Banglampoo. Hij had er zijn tekstverwerker, zijn bier en genoeg restaurants in de buurt en werkte hard door om het eerste deel van zijn scenario rond te krijgen voor ze naar Nederland vertrokken. Eenmaal daar zou hij besluiten aan welke filmmaatschappij hij het gunde. Ray zag het nog steeds niet zitten. Wat vond Mick er nou van? vroeg hij. Mick vond niets, want hij wist niets. David kwam er niet onderuit om te vertellen waar hij zich mee bezighield.

Micks reactie was verrassend. Hij knikte.

'Daar heb ik zelf ook wel eens over gedacht. Nooit aan toe gekomen, maar zo vreemd is het niet. Je maakt de meest krankzinnige dingen mee en kan er nooit over vertellen. Daarom ouwehoeren ze ook zoveel in de bajes. Het blijft natuurlijk wel riskant.'

'Hoezo riskant?' vroeg David. 'Alle namen, tijden en plaatsen zijn veranderd.'

'Blijft link, de Gestapo is ook niet gek, je moet ze niet op ideeën brengen.'

David beloofde plechtig de grootst mogelijke discretie te betrachten en Mick gaf hem zijn zegen. Ray verklaarde zich geschokt door zoveel lichtzinnigheid.

Nu hij wat langer in Bangkok verbleef wilde Ray ook eens een andere kant van de stad leren kennen. Het Bangkok van verscholen tempels, wondermonniken, amulettenverkopers. Zijn goede vriendin Dara ontpopte zich als ideale gids en onuitputtelijke bron van verhalen, informatie en roddel.

'Dat meisje heeft je mooi ingepalmd, vriend, geef het maar toe,' zei David.

Ray gaf niets toe. Er viel niets toe te geven, hij betaalde een kleinigheid voor haar diensten als gids, meer niet en moest aandringen om te zorgen dat ze iets aannam.

'Dara is anders,' zei hij, 'ze hoort niet thuis in gogobars.'

Ook al geen originele uitspraak.

Ter hoogte van Cha-am nam Mick een zijweg in de richting van de kust. We kwamen uit bij een blokkade van olievaten, die werd bewaakt door twee Rangers, met hun geweren in aanslag. Ze schenen met zaklantaarns in de auto, wisselden een paar woorden met Mick en rolden de vaten weg. We reden door en stopten een paar honderd meter verderop. CallmeTony wachtte ons op. Van dichtbij zag hij er gehavend uit. Bloed in zijn haar, blauwe plekken, schrammen in zijn gezicht. Wat was er gebeurd?

'Fight monkey,' legde CallmeTony uit.

Een uur geleden waren ze in Cha-am aangekomen na een rit zonder incidenten. Ze parkeerden de drie trucks onder een groepje bomen en stapten uit. Onmiddellijk werden ze aangevallen door een grote troep apen. Ze gooiden met stenen en takken, sprongen op de trucks, braken de buitenspiegels af en probeerden bij de lading te komen. Verplaatsen van de trucks hielp niet. Bijtend en krabbend besprongen ze de chauffeurs. CallmeTony wist met moeite twee apen tegelijk van zich af te houden, kreeg er genoeg van, trok zijn revolver en schoot die op ze leeg. De anderen volgde zijn voorbeeld. De ongelijke strijd duurde niet lang. Geen medelijden met de apen, hadden ze maar geen ruzie met gangsters moeten zoeken.

Het schip lag honderd meter van het strand voor anker in een beschutte baai. Tijd om te laden. Zes ton marihuana in balen van zestig *pound*, ongeveer zevenentwintig kilo. Groot. Zwaar. Veel. Op Mick na werkte iedereen mee, chauffeurs, bemanning en wijzelf, negen man in totaal. Balen vanuit de trucks naar twee rubberboten dragen. Balen op het dek van de *Sea-Horse* hijsen. Balen als de bliksem onderdeks brengen. Lopendebandwerk. Zwaar werk. Allemaal te danken aan het uitvallen van onze kolonel. In het oorspronkelijke plan zou het schip gewoon aanleggen bij de steiger van de legerbasis. Terwijl wij toekeken mochten dienstplichtige militairen dan het laden voor hun rekening nemen. Half uurtje werk op zijn hoogst. Nu kostte het ons uren en bovendien liters zweet. Direct nadat de laatste balen benedendeks waren gebracht, lichtten we het anker en voeren zonder verlichting de baai uit.

De eerste dagen aan boord bevestigden mijn meest sombere vermoedens. Kapitein Keith begon direct orders uit te delen. Na de indeling van de wacht moest ik alle namen van onderdelen uit het hoofd leren, inclusief de touwen. Hij kondigde aan mij regelmatig te zullen overhoren. Vervolgens verordonneerde hij dat alcohol aan boord verboden was. Theoretisch gold hetzelfde voor wiet, maar met een bemanning van oude blowers op een schip propvol met marihuana viel die regel niet te handhaven.

Na het opsommen van de tien geboden stelde de kapitein zijn eerste matroos voor.

'Zijn echte naam is onuitspreekbaar. Ik noem hem Ishmael en dat vindt hij prima.'

De matroos schudde mijn hand en liet het daarbij. Hij was een kleine, gespierde man van een jaar of vijftig die zijn taken kende en daarbuiten niets te melden had. Mij best. Bij die taken hoorde ook het koken. Veel stelde dat niet voor, want er was alleen diepvries en blikvoer. Goede gelegenheid om wat overtollig gewicht kwijt te raken.

Wat zeeziekte betreft kreeg Mick gelijk. Aanvankelijk begon ik bij elk briesje gelijk te kotsen, maar na een paar dagen ging dat over. Met goed weer bracht ik net als Keith de meeste tijd aan dek door. Beneden was het benauwd, bedompt en rommelig. Ishmael gaf daar de voorkeur aan. Buiten zijn wacht lag hij in zijn kooi, sliep, speelde patience of las religieuze traktaatjes. Aan dek viel van alles te doen: zitten, roken, naar de oceaan staren, lezen, roken, vissen bezichtigen, opstaan, naar de oceaan turen, praatje maken, naar de oceaan kijken, roken. De dagen gleden langzaam voorbij. Naar omstandigheden redelijk comfortabel maar stomvervelend. Je zou bijna naar een flinke storm verlangen.

*

Drie dagen na de storm laat kapitein Keith voor het eerst deze tocht de zeilen hijsen. Het weer toont zich van zijn beste kant.

Zonnig, stevige bries vanuit het noordwesten, matige golfslag. Ideaal zeilweer. Het zou verdacht zijn om nu op de motor te varen, we worden verondersteld zeilfanaten te zijn. Zodra de wind in de zeilen valt komt de *Sea-Horse* tot leven en laat zien wat ze kan. Ze is een dame op leeftijd en zwaar beladen. Maar ze is een schoener, geen kits of een sloep en adel verplicht. Met haar lange smalle romp, diepstekende kiel en tig vierkante meter effectief zeiloppervlak snijdt ze moeiteloos door de golven. Sneller en stabieler dan haar toekomstige eigenaar durfde hopen.

Keith staat zelf aan het roer, aangenaam verrast.

'Negen knopen,' roept hij, 'die oude houten bak doet negen knopen en stuurt zo strak als een scheermes.'

Zelfs Ishmael kijkt blij. Hij geeft mij opdracht de fokkeschoot iets verder aan te halen. Ik gehoorzaam. Hij roept mij toe de fokkeschoot te laten vieren. Ik gehoorzaam.

'Kunnen we nog harder?' vraag ik.

'Niet veel,' zegt Keith, 'misschien een halve knoop of zoiets.'

'En als je extra zeilen bij zet?'

'Maakt weinig uit, dan krijg je met de rompsnelheid te maken.'

Geen idee waar hij het over heeft.

Het goede weer houdt aan tot bij de noordelijke Molukken. Overdag zeilend en bij nacht op de motor winnen we iedere dag tijd op ons schema en besparen tegelijk brandstof. De sfeer aan boord is prima. Op een zeilend schip valt van alles te doen, er is geen tijd voor verveling en geen aanleiding voor ruzies. Wel tijd voor verhalen en gesprekken. Als we in het donker op de motor varen en Ishmael aan het roer staat komt Keith los. Hij is fanatiek cinefiel, vertelt hij. De tijd dat hij niet op het water doorbrengt besteedt hij aan het kijken naar oude Europese films. Hollywood interesseert hem minder, aan Vietnamfilms heeft hij een uitgesproken hekel.

'Ook al zo'n rotfilm,' zegt hij als ik *Apocalypse Now* op een avond ter sprake breng, 'maar over Vietnamfilms gesproken, ik heb Rambo nog gekend.'

'Sylvester Stallone bedoel je?'

'Nee, de echte Rambo. In werkelijkheid heette hij Peter, hij behoorde niet tot een elite-eenheid en had geen opgepompte spieren. Het was gewoon een doodsbange, uitgeputte jongen van negentien, vechtend voor zijn leven, net zoals wij allemaal. Hij bleek er alleen nogal goed in te zijn.'

De hoogste autoriteiten waren dezelfde mening toegedaan en verleenden sergeant Peter C. Lemon de hoogste Amerikaanse onderscheiding, de *Medal of Honor*, voor opvallende onverschrokkenheid in actie met gevaar voor eigen leven. Keith hoorde bij een ander peloton en was er niet bij toen de kleine Amerikaanse basis Illingworth bijna onder de voet werd gelopen door een grote vijandelijke overmacht. Hij hoorde het verhaal pas later.

Peter Lemon werd die dag een legende. Hij schakelde met zijn machinegeweer tientallen vijanden uit voordat het wapen blokkeerde. Daarna gebruikte hij handgranaten en wist daarmee alle vijandelijke soldaten in zijn nabije omgeving op één na te doden. De laatste probeerde te vluchten. Peter ging achter hem aan en brak met blote handen zijn nek. Hij werd zelf geraakt door een ontploffende granaat, negeerde zijn verwondingen en droeg een gewonde kameraad op zijn rug naar de hulppost.

Weer terug op zijn eigen post raakte hij opnieuw gewond. Hij raakte bevangen door razernij, vertelde hij later. Met enkel een kapmes en een paar handgranaten als wapens viel hij als een dolleman aan onder een regen van kogels. Hij raakte een derde keer gewond, viel en vond op de grond een bruikbare M-16. Met het wapen in de hand richtte hij zich op. Nu was hij pas goed kwaad. Wijdbeens staande op een lage dijk, met achter zich de brandende jungle en volledig blootgesteld aan vijandig vuur, stopte hij pas met schieten toen hij door bloedverlies en uitputting in elkaar zakte. Weer bij bewustzijn weigerde hij medische evacuatie tot zijn ernstig gewonde kameraden waren geholpen.

'Klinkt als Rambo, maar dan in het echt,' zeg ik.

'Die Peter was tot dan toe een hele gewone, rustige jongen. En dan beweren ze ook nog dat je van marihuana zo enorm vredelievend en apathisch wordt.'

'Je bedoelt...?'

'Nou en of. "Zoek geen ruzie met Peter als hij gerookt heeft," zeggen zijn vrienden sinds die tijd.'

Een paar maanden na het ontvangen van de onderscheiding gaf voormalig sergeant Peter Lemon in een interview toe dat hij tijdens de actie zo stoned was als een aap. Het peloton kwam net terug van patrouille. Die nacht verwachtten ze geen actie. Eindelijk eens een goede nachtrust. De jongens luisterden naar muziek, dronken bier, praatten over hun plannen voor de toekomst en rookten marihuana. Veel marihuana. Toen de aanval begon bevond het hele peloton zich in hogere sferen.

'Pijnlijk voor de propaganda dat zelfs Rambo aan de dope bleek te zijn,' merk ik op.

'We rookten ons allemaal suf,' reageert Keith, 'we scheten in onze broek van angst. Roken hielp een beetje.'

'En LSD?'

'LSD maakte het nog veel erger. Ik heb jongens volkomen krankzinnig zien worden nadat ze trippend in een gevechtsactie terecht kwamen. Niets mee te beginnen. Ze werden platgespoten en stilletjes gerepatrieerd. Ging rechtstreeks de doofpot in.'

We wisselen ervaringen uit en ik vertel over mijn periode als assistent van de Meester van Tijd en Ruimte. Diens favoriete LSD-verhaal speelde zich af in het Franse stadje Pont-Saint-Esprit, vijfendertig jaar geleden. Hij herhaalde het zo vaak dat ik het bijna uit mijn hoofd ken.

Het begon vroeg op de dag. De wachtkamers van de plaatselijke huisartsen zaten vol patiënten die klaagden over maagpijn, overgeven en diarree. In de loop van de ochtend veranderden de klachten van karakter. Een man beweerde dat zijn hart ontsnapte via zijn voeten en vroeg de dokter het terug te zetten. Een oudere vrouw hield vol dat groene spinnen haar benen op-aten.

Tegen het middaguur renden keurige burgers naakt en schreeuwend over straat en stonden verschillende huizen in brand. Een jongeman klampte zich vast aan een lantaarnpaal en schreeuwde dat er slangen in zijn buik woonden. Anderen lagen bewegingloos midden op straat of leunden versuft tegen een muur.

Tegelijkertijd werden er Bengaalse koningstijgers waargenomen, probeerde een jongen van elf zijn moeder te wurgen, sprong de geneesheer-directeur van de tweede verdieping van zijn eigen ziekenhuis en knalde de enige politieauto in volle vaart tegen de monumentale trap van het stadhuis. Het leek alsof de ruiters van de Apocalyps door de smalle straten trokken.

De hulpverlening kwam snel op gang. De naakte gekken werden van straat gehaald.

De balans na drie dagen: zeven doden, vijftig man in dwangbuizen afgevoerd naar klinieken in de regio, driehonderd inwoners hondsberoerd thuis in bed. Al die personen hadden één ding met elkaar gemeen, ze kochten hun brood bij een kleine plaatselijke bakker. Daarmee leek de schuldige gevonden: het Verdoemde Brood.

In het *British Medical Journal* verscheen een artikel over *claviceps purpurae*, een parasitaire schimmel die de giftige alkaloide ergotamine bevat. Symptomen van vergiftiging zijn jeuk, diarree, duizeligheid, spierkrampen, hallucinaties, krankzinnigheid en dood. Hele steden en dorpen werden er in de middeleeuwen door uitgeroeid.

Pont-Saint-Esprit was getroffen door een uitbraak van ergotisme, veroorzaakt door een zak besmet meel, concludeerde het artikel.

Andere wetenschappers gaven de schuld aan andere stoffen. In alle gevallen ging het om verontreinigingen die het graan ongeschikt maakten voor menselijke consumptie en bij normale inspecties ontdekt moesten worden. Hoewel ergotisme al sinds de achttiende eeuw niet meer voorkwam in Frankrijk hielden de autoriteiten het daarop.

De Meester van Tijd en Ruimte wist wel beter: de inwoners van Pont-Saint-Esprit werden door de CIA opzettelijk vergiftigd met LSD in het kader van een militair experiment, om vast te stellen of het mogelijk was op die manier vijandelijke troepen uit te schakelen. Geen enkele andere stof kon volgens hem de verschijnselen volledig verklaren.

Ik heb geen idee of die theorie steekhoudt. De Meester keek niet op een samenzwering meer of minder. Feit is wel dat in alle verschillende theorieën sprake is van doofpotten, nalatigheid, winstbejag en in het ergste geval een heuse samenzwering. Geen prettige gedachte voor de onschuldige burger. Of zoals de Meester zou zeggen: paranoia is een gezonde geesteshouding in een wereld vol samenzweringen.

Daar is Keith het van harte mee eens. Na Vietnam weet hij dat de CIA tot alles in staat is. De Meester van Tijd en Ruimte zou hij graag eens ontmoeten. Het lijkt hem een interessant figuur. Dat valt niet te ontkennen, geef ik toe, maar dan zal hij toch een paar jaar moeten wachten.

Voorbij Morotai buigen we af naar het zuiden, langs Halmahera, richting Zuid-Molukken en de Bandazee. De wind valt weg en op halve kracht sukkelen we het paradijs binnen. Met kapitein Keith aan het roer laveren we voorzichtig tussen tientallen eilanden, bedekt door regenwoud en bloeiende klimplanten. We moeten uitkijken niet vast te lopen en blijven zo ver mogelijk uit de kust. Toch lijkt de lucht verzadigd van de geur van orchideeën. Scholen vliegende vissen en dolfijnen volgen het schip. Bont gekleurde vogels vliegen van eiland naar eiland. Apen roepen elkaar toe over het water. Nergens is een teken van menselijke bewoning.

'Zo zag de wereld eruit op de ochtend van de zesde scheppingsdag,' zegt Ishmael onverwacht.

Het is zijn eerste volzin deze reis. Keith knikt.

Ooit zou ik hier terug willen komen om op een eiland te leven in een hut die is overdekt met slingerplanten. Aan menselijk gezelschap heb ik tegen die tijd geen behoefte meer. Ik zal converseren met de apen, regenwater drinken, vruchten van de bomen en vissen uit de zee eten tot mijn tijd gekomen is en dan spoorloos opgaan in de jungle. Alhoewel. Dat wordt nooit wat. Tropische eilanden zijn rommelig en ongezond. Indonesië is een politiestaat. Kluizenaars komen op akelige manieren aan hun einde en paradijzen kunnen alleen bestaan bij de gratie van menselijke afwezigheid. Je kunt hoogstens een stukje meenemen in je hoofd als troostrijk beeld voor moeilijke tijden.

Kapitein Keith maakt overuren. Met al die eilanden om ons heen vertrouwt hij het roer soms voor korte tijd toe aan Ishmael, maar niet aan de lichtmatroos. Ik mag me ontspannen en hang wat rond aan dek.

Onder mijn voeten ligt zes ton *ganja*. Straatwaarde, als je politie en media mag geloven, honderdvijftig miljoen Australische dollars. Die straat zoeken we al jaren tevergeefs. In werkelijkheid betaalt King George vijf miljoen per ton, dertig in totaal. Ook niet onaardig.

Geen van ons heeft Micks duistere partner ooit ontmoet, we zijn heel tevreden met indirecte contacten. Mick is de enige vent in de wereld voor wie hij respect heeft. Ze groeiden op in dezelfde wijk. Mick leerde hem knokken als oudere buurjongen. Die relatie is bijzonder nuttig voor de financiële afhandeling van gezamenlijke projecten zoals deze, want wie denkt dat de race gelopen is als de spullen eenmaal aan de overkant zijn, heeft het mis. Vaak begint de ellende dan pas.

Stel, iemand heeft zes ton zonder noemenswaardige problemen binnengetrokken. Die zes ton moet worden opgeslagen en in hoeveelheden van een paar honderd kilo per keer worden doorverkocht aan distributeurs. Elke keer als die voldoende hebben verkocht mogen ze een nieuwe lading halen. Daar kan met gemak een paar maanden overheen gaan, terwijl in de tussentijd de onkosten doorlopen en de kans gepakt te worden toeneemt. Met het afrekenen gaat ook altijd van alles mis. Discussies ontstaan over kwaliteit en prijs, betalingen zijn te laat of onvolledig, iedereen probeert de zaak te belazeren.

Met King George in het team bestaan zulke problemen niet.

Niet alleen probeert niemand hem te belazeren, het mooiste is dat hij via zijn legale bedrijven grote bedragen kan overmaken zonder dat het opvalt. Geen gesleep met dozen vol bankbiljetten, geen noodzaak voor twijfelachtige tussenpersonen. Het geld gaat rechtstreeks naar een opgegeven bankrekening. Daarbij komt dat hij nog nooit een betaling heeft gemist. Mick heeft hem alle gegevens verstrekt. Dat komt goed. Hoop ik.

De begunstigde moet wel zijn eigen zaken op orde hebben. Aan Mark heb ik wat dat betreft een goede. Na zijn rechtenstudie trad hij in dienst bij een befaamd fiscaal adviesbureau. Ik bezorgde hem financieel interessante klanten, Mark toonde zich creatief en tegenwoordig houdt hij kantoor in een fraai gerestaureerd Amsterdams grachtenpand. Hij heeft mijn zaakjes zorgvuldig voorbereid, reisde naar Luxemburg en naar de Kanaaleilanden, opende rekeningen, richtte bedrijven op en verrichtte talloze andere belastingtechnisch relevante handelingen. Ik tekende machtigingen.

Nu we op halve snelheid varen, brengt Ishmael veel tijd door met vissen. Hij gebruikt geen hengel, maar een losse lijn waaraan hij af en toe kleine rukjes geeft. Behalve een paar zielige babyvisjes heeft hij tot nu toe niets gevangen. Terwijl de kapitein aan het roer staat en de matroos in meditatieve stilte naar zijn lijn staart, speur ik met een verrekijker de eilanden af. Overal baaien, zandstranden, tropische begroeiing. Als het gebied niet zo onbereikbaar was, zou elk eiland allang zijn eigen Club Med hebben.

We zijn nu bijna drie weken onderweg. Als alles goed gaat ben ik over een ruime week terug in Bangkok. Hoe zou het met Noi gaan? Voor mijn vertrek gaf ik haar vijfhonderd dollar. Daar was ze niet blij mee. In mijn afwezigheid moest ze zelf voor alles betalen, klaagde ze. Kon ze niet wat meer krijgen? Dat kon wel, maar ik voelde er niets voor. Haar afscheidskus voelde koeltjes aan.

Kapitein en matroos wisselen van plaats. Op het moment dat Keith de vislijn overneemt wordt die bijna uit zijn hand gerukt. Beet. En het moet een flinke jongen zijn. Hij krijgt de lijn onder controle en begint langzaam in te halen. Ishmael heeft er zichtbaar de pest in, maar kan niet weg bij het roer. De vis vecht terug en het kost bijna een kwartier om hem binnen te halen.

'Een wahoo,' roept Keith, 'dat wordt onze eerste fatsoenlijke maaltijd in weken.'

Het bereiden van verse vis is zijn specialiteit, beweert hij. Dat laat hij aan niemand anders over. Hij verdwijnt in de kombuis, komt een uur later terug met een visschotel die zo uit een luxe restaurant kon komen en weigert te vertellen hoe hij dat voor elkaar kreeg. Hij heeft ook nog een verrassing: een halve fles gin, genoeg voor twee drankjes de man.

'Regels moet je zo nu en dan breken,' verklaart hij, 'vooral je eigen regels. Dat doe ik iedere reis precies één keer, dus profiteer ervan.'

We eten gebakken vis, drinken gin en roken joints. Het leven van een zeeman is zo slecht nog niet. Met zijn glas in de hand komt Keith naast mij zitten.

'Nog drie dagen,' zegt hij, 'je hebt het goed volgehouden, als ik nog eens een jongste maat nodig heb zal ik aan je denken.'

'Aardig van je, als ik nog eens een kapitein nodig heb zal ik aan jou denken.'

Hij schudt zijn hoofd. Na deze tocht is hij klaar met smokkelen.

De volgende dag is de trage reuzenslalom rond de eilanden van de Bandazee ten einde en bereiken we weer open water. Achter onze rug sluiten zich de poorten van het paradijs. We liggen goed op schema. Van nu af aan zullen we tegenwind hebben en uitsluitend op de motor varen. Kapitein Keith haalt slaap in, ik draai dubbele wachten. De wind trekt aan en het schip stampt log door de golven. We zijn er bijna, maar nog niet helemaal. Het zal wel verbeelding zijn, maar de rest van de reis naar Darwin ruik ik nog altijd vaag de geur van orchideeën.

II

Het hoofd van de massageschool doet zijn best, maar zijn kennis van de Engelse taal is beperkt. Toch begrijp ik hem zonder moeite. Noi is weg. Binnen een week was ze pleite. Hij heeft geen idee waar ze nu is, maar zonder zich met mijn zaken te willen bemoeien adviseert hij mij haar zo snel mogelijk te vergeten. Dat meisje deugt niet.

De eerste twee dagen nam ze braaf deel aan de lessen, woonde ceremonies bij en bracht de avond en nacht door op haar kamer. Daarna veranderde haar houding. Tijdens de lessen toonde ze zich ongeïnteresseerd en direct daarna verdween ze de stad in om pas in de vroege ochtend terug te komen. Met hoofdpijn als excuus bleef ze de rest van de dag op bed liggen. Na een kleine week kwam ze met een triest verhaal aanzetten. Haar moeder lag op sterven en zij als oudste dochter moest onmiddellijk naar huis. Helaas kon ze de opleiding nu niet vervolgen. Zou het misschien mogelijk zijn een deel van het cursusgeld en de huur terug te krijgen?

De leiding van Wat Pho overlegde. Normaal gesproken begonnen ze daar niet aan, maar gezien de omstandigheden streken ze over hun hart en betaalden haar de helft terug. Pas na haar vertrek merkten ze dat er een antieke wierookbrander ontbrak. Of ik wellicht genegen ben dat te vergoeden. Dat ben ik niet, maar ik sta wel zwaar voor lul. Heeft ze me de hele tijd een rad voor ogen gedraaid of is er iets onverwachts gebeurd?

Direct na aankomst in Bangkok liet ik me per taxi naar het hotel brengen, gooide ik mijn spullen in de kamer en ging met dezelfde taxi rechtstreeks door naar Wat Pho. Vol verwachting klopte mijn hart. Hiermee heb ik geen rekening gehouden.

Wat nu? Waar kan ze zijn? De enige plek die ik kan bedenken is Patpong.

Om vier uur in de middag, de heetste tijd van de dag, ligt Patpong er verlaten bij. De barmeiden slapen nog, net als hun klanten. De manager van de Roxy is wel aanwezig, herkent mij direct en groet met een redelijk hoge *wai*. Hij is bezig voorraden te controleren, maar neemt graag de tijd mij even te woord te staan.

'No see long time,' zegt hij als ik naar Noi vraag.

Nadat ze hier de laatste keer samen met mij was, kwam ze nog een paar keer terug, vertelt hij. Ze kletste met de meiden, deelde drankjes uit, dronk zelf stevig mee en vertrok tegen sluitingstijd zonder te betalen met een dronken Australiër. Dat flikte ze nog twee keer. Drinken op de pof en dan verdwijnen met een van de klanten. Op dat soort concurrentie zit hij niet te wachten. Dat liet hij haar weten. Sindsdien heeft hij haar niet meer gezien. Haar rekeningen zijn nog niet voldaan. Kan ik ervoor zorgen dat die alsnog worden betaald? Als ik zeg dat ik dat niet kan heeft de manager het plotseling druk. Is er verder nog iets van mijn dienst? Ik vraag naar Nois Laotiaanse vriendin. Misschien weet die waar ik haar kan vinden.

'Have boyfriend now,' zegt hij, 'finish working.'

'Thai boyfriend?'

'*Farang* boyfriend. Very big.'

Het zal toch niet waar zijn.

Als ik de volgende ochtend aan het ontbijt zit komen ze samen binnenlopen, *the beauty and the beast*. Ik zit net te bedenken hoe ik dit verder ga aanpakken. Ga ik Noi zoeken of niet? En zo ja, hoe vind je in Thailand een Thai die niet gevonden wil worde? Simpel. Je vraagt je Thai maatje, heel toevallig een hooggeplaatste gangster met toegang tot vertrouwelijke informatie. Eén probleem: CallmeTony is in geen velden of wegen te bekennen en ik weet niet hoe ik hem kan bereiken. Net als Mick heeft CallmeTony de gewoonte van tijd tot tijd te verdwijnen. Die duikt wel weer op, maar daar heb ik nu niets aan.

De meid en het monster onderbreken die overpeinzingen. Ongevraagd komen ze aan tafel zitten. Ray grijpt een stuk van mijn toast en smeert er dik boter op.

'Zo, oude zeebonk,' zegt hij met volle mond, 'heb je het overleefd?'

Dara maakt een *wai*. Ze ziet er stralend uit.

Ik vertel over de zeereis, de storm die ons bijna het leven kostte, de mystieke schoonheid van de Bandazee en het lossen van de lading.

Dat laatste verliep zonder problemen. King George stuurde een professioneel team. Zij deden het werk, wij keken toe terwijl ze de balen in twee grote trucks laadden. Het kostte ze minder dan een uur.

Daarna was het onze beurt om te werken. Alle sporen van marihuana dienden te worden verwijderd voordat we de haven van Darwin konden binnenvaren. Dat gold ook voor mijn persoonlijke voorraad. De controles in Australische havens zijn berucht. We waren een halve dag bezig het schip van onder tot boven te schrobben.

Dat hadden we net zo goed kunnen laten. De douaneambtenaren voelden er niets voor hun koele kantoor te verlaten en de controle beperkte zich tot de papieren. Zeereis voltooid. Ik schudde de hand van matroos Ishmael, nam afscheid van kapitein Keith en wenste ze succes met hun charterplannen. Een vlucht van zes uur over een uitgedroogd maanlandschap bracht mij van Darwin naar Sydney. Daar nam ik een vlucht terug naar Bangkok.

'En hoe gaat het met je verloofde?' vraagt Ray.

Dat is een teer punt, maar ik vertel toch wat ik gisteren gehoord heb. Niemand weet waar ze is.

Dara weet het wel. 'I think, Noi go back island,' zegt ze.

Voor ik iets kan zeggen, reageert Ray door met zijn vinger heen en weer voor haar gezicht te zwaaien.

'Fout, fout, fout. Wat heb ik je nou geleerd? Probeer het nog eens.'

Ze zucht theatraal.

'Ok, I think that Noi went back to the island.'

'Zie je wel, je kunt het best,' zegt Ray.

En tegen mij: 'Zit niet zo te staren. Dara leert Engels en ik leer Thai. Heel normaal toch?'

Heel normaal ja, afschrikwekkend normaal. Dat was ik tot voor kort ook van plan, dus laat ik verder maar afzien van commentaar.

Dara bevestigt de verhalen van de manager. Noi verscheen een paar keer in de Roxy, werd dronken en pikte klanten op. Tegen haar vriendinnen klaagde ze over mijn bemoeizucht. Ze mocht niet roken, niet drinken, niet in een bar werken. Wat mocht ze eigenlijk wel? En dan was ik nog gierig ook. Als haar vriend niet voor haar zorgde deed ze het zelf wel. Aan Dara vertelde ze een aanbod op zak te hebben om bedrijfsleider en aandeelhouder van een nieuwe gogobar op Koh Kaew Phitsadan te worden. Een heel aantrekkelijk idee, veel aantrekkelijker dan naar de pijpen van een *farang* te dansen. Mocht het misgaan, dan kon ze desnoods weer bij mij terugkomen. Gewoon een smoes verzinnen. Daar zou ik zeker intrappen, een grotere sukkel moest ze nog tegenkomen.

Au, die is raak. Hangend in de touwen probeer ik mijn dekking hoog te houden, maar een paar stoten komen flink door. Dara zwijgt. Ray zegt niets. Ik haal diep adem en dwing mezelf over te schakelen naar een ander onderwerp.

'Wat doe jij hier eigenlijk? Ik had jullie nog niet terugverwacht,' vraag ik.

Ray kwam een week geleden in Bangkok terug. Alleen. David bleef achter in Nederland. Het overladen verliep snel en efficiënt. Typisch Rotterdam. Als je daar de juiste mensen betaalt, legt niemand je een strobreed in de weg. Ray wilde zo snel mogelijk weer weg uit het land van mest, mist en regen. David had andere plannen.

'Weet je wat die gek heeft gedaan?' vraagt Ray. 'Die mafkees stapte doodleuk met dat pak papier onder zijn arm bij een bekend productiebedrijf naar binnen en vroeg of hij de baas even kon spreken. Of meneer een afspraak had. Nee, dat had meneer niet, maar meneer was een goede kennis van de baas en wist zeker dat die hem graag wilde spreken.'

De secretaresse wist niet goed wat ze met hem aan moest. Ze vroeg hem even te wachten en ging haar baas op de hoogte stellen. Die stak zijn hoofd om de deur en zag daar tot zijn verrassing David staan. De omschrijving 'goede kennis' was overdreven, maar ze hadden elkaar eerder ontmoet.

'Weet je nog die keer dat jullie samen een onsje speciale Nepalese hasj gingen afleveren bij dat artiestenfeest?' vraagt Ray.

Zeker, geen gelegenheid om snel te vergeten.

Het ging maar om een onsje, maar wel een heel bijzonder onsje: de klant wilde Nepalese tempelballen, volgens hem de beste hasj die er bestond. Wij hadden weinig behoefte hem op zijn dwaling te wijzen. Mensen die graag belazerd willen worden moet je vooral niet in de weg staan. We namen een ons commerciële Border Afghaan, rolden daar een paar onregelmatige ballen van en vermenigvuldigden de prijs met een factor tien. Het zou een heel bijzonder feest worden, zei de klant, met als gasten schrijvers, acteurs, uitgevers, producenten, televisiesterren en andere bekende Nederlanders van het artistieke type, gewend aan het beste van het beste. Uit nieuwsgierigheid besloot David tegen de normale procedures in het onsje zelf af te leveren. Ray had geen behoefte mee te gaan, ik wel.

Het adres lag midden in de Amsterdamse binnenstad. Een gribusstraatje zonder straatlantaarns, een voordeur die paste bij een junkenhol. David belde aan, ik stond twee meter verderop buiten het gezichtsveld. De deur opende, David beoordeelde de situatie als veilig. We stapten over de drempel en betraden een andere wereld.

De half verrotte voordeur bleek aan de binnenkant van dik staal. Achter die deur was een hoge hal met een marmeren vloer. De gastheer was onberispelijk gekleed. Zelfs ik herkende hem direct: filmproducent, alwetend mediagenie, bekend van radio en televisie, 's lands meest succesvolle culturele ondernemer. Hij maakte een montere indruk.

'Uw collega's van het witte poeder waren u net voor,' zei hij, 'ze moeten hier nog ergens rondhangen.'

Na afhandeling van het zakelijke gedeelte nodigde hij ons uit voor een kleine rondleiding. Wat aan de buitenkant een reeks vervallen pandjes leek ontpopte zich binnen als een luxe paleis. Ik vroeg me af of film en televisie zijn enige handel vormden. We werden van harte uitgenodigd ons onder de gasten te mengen. Zo vaak kregen die de kans niet een echte drugshandelaar in het wild te ontmoeten.

We keken elkaar aan, een kwartiertje kon geen kwaad toch. Zelf lees ik niet veel kranten, kijk weinig televisie en kende de meeste gasten niet. David herkende iedereen: presentatrices met diepe decolletés, kale regisseurs, middelbare acteurs, jonge sletten, pratende hoofden, zwijgende minderheden. Dankzij onze collega's van het witte poeder en de leverancier van de champagne was de sfeer nogal jolig.

De salon, met de omvang van een balzaal, vormde het middelpunt van het feest, een glanzende antieke sportwagen, het middelpunt van de salon.

'Volgens mij is dat een echte Spyker,' zei David, 'kost een godsvermogen.'

Rondom de auto stonden lange tafels opgesteld. Naast het eetgerei lagen blinkend opgepoetste moersleutels, schroevedraaiers en tangen. De gasten zaten aan het voorgerecht. Meloen met parmaham. Eén voor één stonden ze op, zochten een leuk stukje gereedschap uit, liepen even peinzend om de auto heen, draaiden een of ander moertje los en deponeerden dat in de gereedstaande afvalbak. Een kelner bracht onder gejuich van alle aanwezigen een karretje met zwaarder gereedschap binnen. Onze gastheer keek goedkeurend toe.

'Mijn gasten geloven in creatieve destructie,' zei hij.

Naast me stond David zich op te winden. Zo te zien hield hij er eigen ideeën over creatieve destructie op na. Voordat hij iemand naar de keel kon vliegen pakte ik hem bij zijn arm, zette mijn duim achter zijn elleboog, kneep. Trucje van oom Fleur om iemands onverdeelde aandacht te krijgen.

'Dimmen man, straks hebben we hier de Gestapo over de vloer.'

David dimde, de gastheer merkte niets. Hij keek om zich heen en wenkte iemand. Vanuit de menigte kwam een kind op ons toelopen, een klein meisje in een witte jurk. Met twee handen hield ze een zilveren schaal omhoog, op de schaal lagen een berg coke en vier lepeltjes.

Ik heb geen verstand van kinderen. Hoe oud zou het meisje zijn geweest? Zes? Acht? Wat wist ik ervan? Wat ik wel wist was dat kleine meisjes op deze tijd van de dag in bed moesten liggen. Met een teddybeer. Desnoods zonder teddybeer. Ze hoorden in ieder geval beslist niet rond te hangen op een feest vol perverselingen en al helemaal niet met een schaal coke in hun handen.

David stootte een elleboog in mijn ribben en maakte met zijn hoofd een beweging naar de uitgang. Hij had gelijk: dimmen, wegwezen, beter voor iedereen. Uiteindelijk waren wij maar een paar boefjes, volkse types, niet al te hoog opgeleid en onvoldoende verfijnd om de grensverleggende lifestyle van de culturele elite op waarde te kunnen schatten.

'Nog mazzel dat Ray er niet bij is,' zei David, 'die heeft iets met kinderen.'

Op weg naar de uitgang zagen we een bekende acteur. Hij zat achterover in een stoel met zijn broek op zijn enkels en zijn lul gedoopt in een schaal coke. Een bekende presentatrice likte, gezeten op handen en voeten, het bekende witte poeder van de bekende eikel.

Dat feest herinner ik mij nog goed.

Ray vertelt verder.

David wist dat de baas van het befaamde productiebedrijf dezelfde kerel was als de gastheer op dat feest. De man leek lichtelijk verontrust door Davids onverwachte verschijning op zijn kantoor. Hij moet behoorlijk opgelucht zijn geweest toen hij die stapel papier in zijn handen kreeg gedrukt. De zoveelste idioot met een krakkemikkig scenario of een kinderachtig manuscript.

David legde uit dat hij gebaseerd op eigen ervaringen een snel, realistisch en toch ook dolkomisch misdaadverhaal had geschreven dat zich prima leende om te verfilmen. Hij kwam meteen met enkele suggesties voor de acteurs. De producent beloofde dat hij het hoogstpersoonlijk en met bijzondere aandacht zou lezen. Dat kon wel even duren want hij was een drukbezet man, maar het kreeg de hoogste prioriteit.

Waarschijnlijk slaakte de producent een zucht van verlichting toen zijn bezoeker de deur achter zich dicht trok en was hij absoluut niet van plan dat pak papier door te lezen. Mogelijk leek het hem toch verstandig even de eerste paar bladzijden te bekijken. Twee uur later zat hij nog steeds te lezen. Hij onderbrak zijn lectuur alleen om zijn secretaresse opdracht te geven onmiddellijk David te bellen voor nieuwe afspraak. Daarna schonk hij een glas whisky in, stak een sigaar op en las door. Hij was niet voor niets de meest succesvolle culturele ondernemer van het land, hij wist wanneer hij goud in handen had.

Sindsdien is er met David geen normaal gesprek meer mogelijk, vertelt Ray. Hij liet zijn haar in een modieuze coupe knippen en draagt nu shirts met lange mouwen zodat je zijn tatoeages niet kan zien. Zijn onafscheidelijke ketting heeft hij afgelegd en de naam David gebruikt hij liever niet meer.

'Ik dacht dat hij echt zo heette,' zeg ik.

'Dacht ik ook.'

'En die davidsster droeg hij toch vanwege zijn Joodse identiteit?'

'Welnee,' zegt Ray, 'hij is helemaal niet Joods. Die ketting heeft hij een keer gekregen van iemand die hem geld schuldig was. Hij zocht net naar een nieuwe artiestennaam en David leek hem wel geschikt.'

In werkelijkheid heet David gewoon Peter of zoiets. Voorlopig tenminste. Hij kreeg een eigen kantoor en hij overlegt dagelijks met producenten en regisseurs. Hij heeft het druk. Die zien we hier voorlopig niet terug.

Ray vraagt wat mijn plannen zijn. Ik weet het niet. Noi zoeken? Ik vermoed waar ze is en zou natuurlijk met een paar mannetjes van CallmeTony naar het eiland kunnen gaan. Restaurant platbranden, gogobar opblazen, botten breken. Ik krijg visioenen van brandende puinhopen en bebloede lijken hangend aan verkoolde balken. Je bereikt er niets mee, maar het geeft een hoop voldoening. Of de eer aan mijzelf houden en de hele affaire beschouwen als een pijnlijke les? Uiteindelijk is zij de verliezer. Ik zit hier in een luxe hotel te wachten op uitbetaling van twee miljoen Australische dollars. Zij zit in een derderangs gogobar op een van muggen vergeven eiland vol rugzaktoeristen en luidruchtige studenten. Lekker laten zitten.

Tijdens ons gesprek leest Dara geduldig een tijdschrift. Er hangt een wonderlijke sereniteit om haar die ik niet eerder heb opgemerkt. Is dit liefde? Ik vraag Ray naar de stand van zaken.

'Ze is anders dan de gewone barmeiden,' legt hij nog maar eens uit, 'intelligent en heel gevoelig. Ze hoort niet thuis in een gogobar.'

Ik knik. Hij heeft gelijk. Niemand hoort thuis in een gogobar. Voortschrijdend inzicht van mijn kant. Gevoelige Dara en sterke Ray. Het klinkt idioot, maar het zou best eens kunnen werken.

'Zit niet te lachen man,' zegt Ray.

'Ik lach niet, ik glimlach. Dit is Thailand.'

We praten nog wat over actualiteiten. Mick is weer eens in het noorden, vertelt Ray. Daar zit hij veel de laatste tijd. Ze hebben problemen met schimmels in het gewas en proberen op kleine schaal verschillende bestrijdingsmiddelen uit. Waar CallmeTony is, weet hij ook niet. Die zal wel ergens een massamoord aan het plegen zijn. Komt wel weer terug als hij klaar is. Voor ons is er voorlopig niets te doen behalve wachten. Dara en Ray samen in zijn penthouse bij Sukhumvit, ik alleen in het hotel. Wachten op bericht van King George. Wachten op ons geld.

*

194

De eigenaars van het kleine familierestaurant tegenover het Phoenix Hotel hebben moeite gedaan om hun zaak aantrekkelijk te maken voor de buitenlandse hotelgasten. Nette tafels en stoelen, menukaart, posters aan de muur, schoon toilet. Ik eet er iedere dag en ben dan meestal de enige *farang*. Voor mij op tafel staat een portie gebakken kip met cashewnoten en een kom gestoomde rijst. Zojuist heb ik een tweede fles Singha besteld. In de hotelkamer rookte ik een paar joints en ben nu in een redelijk humeur.

De laatste dagen zag ik ontelbare Amerikaanse televisieseries. Ik las kranten, wandelde door de nauwe straten van Pratunam en belde een paar keer met Mark in Nederland om hem op het hart te drukken mij direct te bellen als er nieuws is.

Het gedoe met Noi heeft me blijkbaar behoorlijk aangegrepen. Soms denk ik haar te zien. Een jonge vrouw met precies hetzelfde postuur verlaat een winkel. Voordat ik bij haar ben slaat ze een hoek om en is ze verdwenen. Het meisje achter op de brommer aan de overkant van de straat kan haar tweelingzus zijn. De brommer trekt op en verdwijnt in het drukke verkeer. Een keer weet ik zeker dat ze in een portiek staat, vlak bij het hotel, samen met een man in wie ik broer Moo herken. Als ik het portiek bereik is daar natuurlijk niemand. Als dit zo doorgaat moet ik aan de kalmeringspillen.

Ik concentreer mij op de kip met cashews. Iemand komt bij mijn tafel staan. Ik kijk op. Daar staat ze. In levenden lijve. Ze ziet er slecht uit. Vermagerd, met wallen onder de ogen en zwaar opgemaakt. Bedeesd vraagt ze of ze bij me mag komen zitten. Ik maak een handgebaar. Vrij land en meer van dat soort dingen. Ze moet doen waar ze zin in heeft. Ik eet intussen door voordat mijn kip koud wordt.

Ze begrijpt dat ik boos ben, maar ze heeft een vreselijke tijd achter de rug, beweert ze. Direct na mijn vertrek begon de massageleraar druk op haar uit te oefenen met hem naar bed te gaan, daarom kon ze niet in de tempel blijven. Ze wendde zich tot haar oude werkgever. Die was geen spat beter en haar vriendinnen hielpen ook niet.

Arme Noi, eenzaam en alleen, zonder hulp, in een wrede koude wereld vol geilbaardende griezels. Het is alsof ik naar een onvervalste smartlap zit te luisteren.

Dan ken ik er nog wel een: *Je loog tegen mij alsof ik een kind was...*

En gelijk had ze. Een stekeblinde sukkel, rondtastend in het duister met zijn hersenen in zijn ballen, verdient geen eerlijke kans.

In haar wanhoop, zegt ze, ging ze terug naar haar vrienden in Koh Kaew Phitsadan. De familie ving haar op en gaf haar een baan in hun nieuwe gogobar. Voorlopig als assistent van broer Moo, die zelf bedrijfsleider is. Die baan kan zij krijgen, maar dan moet ze zich wel inkopen. Ze praat en praat. Ik zie haar mond bewegen maar hoor nauwelijks wat ze zegt. Er is iets veranderd. Ze praat maar door. De felrode lippen gaan open en dicht. Dan zie ik het. Haar tanden. Mooi gaaf en regelmatig.

Waar is haar gebroken tand?

'Fix already,' zegt ze. 'You like?'

Ik was nogal op die tand gesteld, maar dat doet er niet meer toe. Wel goed gedaan. Benieuwd hoeveel het heeft gekost. Dat weet ze niet, een vriend heeft betaald.

Werkelijk, en welke vriend toonde zich zo vrijgevig?

Gewoon een oude vriend die ze in Bangkok tegen het lijf liep en zelf net toevallig op weg was naar de tandarts.

Goh, wat een mazzel, dat gebeurt mij nou nooit eens: een vriend tegenkomen die me uitnodigt mee te komen naar het ziekenhuis om daar op zijn kosten gezellig samen onze blindedarm te laten verwijderen.

Noi wil haar verhaal vervolgen. De onderbreking bracht haar in de war. Waar was ze gebleven? O ja, die massagecursus was dus helemaal niet geschikt voor haar. Ze is geen studiehoofd, maar ze kent genoeg andere manieren om een man te verwennen. Dat weet ik toch wel. Als we nou eens samen naar mijn kamer gaan, een paar joints roken en in bed duiken, dan kan ze een paar nieuwe trucjes laten zien.

Nieuwe trucjes? Op mijn leeftijd? Waar heeft ze die zo snel geleerd? Ik ben nieuwsgierig, maar niet genoeg om op haar voorstel in te gaan.

Ze herstelt zich snel en gooit het over een andere boeg. Een zakelijk voorstel: de gogobar van broer Moo ondervindt wat aanloopmoeilijkheden. Als ik nu eens investeer. Daarvoor bestaan verschillende mogelijkheden. Rechtstreeks als aandeelhouder of, en daaraan geeft zij de voorkeur, door haar het bedrag te lenen dat nodig is om zich in te kopen. Van haar salaris betaalt ze dan terug met een rente van twaalf procent. Dat is één procent per maand. Gevonden geld.

Ik schud mijn hoofd. Noi kucht en schraapt haar keel.

'Can I order drink please,' vraagt ze.

Als ze een drankje wil bestellen moet ze dat vooral doen. Rum-cola hebben ze niet in het restaurant, daarom bestelt ze een grote fles Singha. Ik dacht dat ze niet van bier hield. Van mening veranderd, zegt ze. Ze zet de fles aan haar mond, neemt een paar grote slokken en veegt haar lippen af met de rug van haar hand. Stijl bouwvakker. Stijl barmeid.

Laatste poging. Ze gaat over op een poging tot chantage.

'You mafia,' zegt ze, 'maybe I speak police.'

Dat kind is volkomen gek geworden. Zit ze weer aan de opium? Heeft ze geld nodig voor haar verslaving?

Noi schudt heftig met haar hoofd. Niks opium. Ze heeft gewoon recht op geld. Hoe vaak heb ik haar niet geneukt, nog los van alle andere smerige dingen die ze moest doen. Dacht ik dat ze dat allemaal gratis deed? Nou mooi niet. Ik moet haar geld geven anders loopt ze rechtstreeks naar de politie.

Ik heb genoeg gehoord. Vanaf nu kan het alleen maar erger worden. Tijd om op te stappen. Ik betaal voor de maaltijd en twee flessen bier. Noi mag zelf haar eigen drankje afrekenen. Voor ze het beseft sta ik al op straat. Achter mijn rug hoor ik haar schelden en schreeuwen. Ik kijk niet om.

Al met al was het geen slechte poging. Zonder vrees en met een goed tactisch plan trad ze de vijand tegemoet. Achtereenvolgens speelde ze in op de meest primitieve menselijke instincten: geilheid, hebzucht, angst. Geef die teef een mantel-pakje en ze kan zo de politiek in.

Terug op de kamer hoor ik op het antwoordapparaat de stem van Mark: '*The Eagle has landed*. Bel me even terug. Maakt niet uit hoe laat.'

Ik bel terug. Veel kunnen we niet zeggen over de telefoon, maar mijn financieel adviseur verzekert me dat de adelaar inderdaad veilig is geland. King George heeft woord gehouden. Ik ben rijk. Nou ja rijk. Naar Zwitserse maatstaven is iedereen met minder dan een miljoen hoe dan ook een armoedzaaier. Tussen één en tien miljoen geldt als welgesteld. Boven de tien is rijk. Nog een lange weg te gaan. Vreemd, ik zit met de telefoon in mijn hand op het bed. Een moment van triomf zou je toch zeggen. Maar dramatisch gezien valt het een beetje tegen: geen champagne, geen koffer met bankbiljetten, geen armholster met een Colt 45, geen callgirls met jarretels en grote borsten. Ergens in een computer zijn wat cijfers veranderd in mijn voordeel. Ik voel er eigenlijk weinig bij.

*

Mick is terug in de stad. Ik ontmoet hem in een café op Silom Road. Hij is in het gezelschap van een jongeman met een worstelaarspostuur. De jongen wordt voorgesteld als Larry, zoon van een oude vriend. Hij leert het vak door een tijd met hem mee te lopen als stagiair en lijfwacht. In de academische wereld zou dat als een postdoctoraaltraject gelden. Larry moet meteen weer weg.

'Ik heb hem gezegd de Pink Panther open te gooien en alles in de gaten te houden,' vertelt Mick. 'Benieuwd wat voor puinhoop ik straks aantref.'

'Is hij zo dom dan?'

'Nee, slim genoeg, maar geen enkele ervaring. Mijn hele Thai staf loopt straks dwars over hem heen, van de kleinste barmeid tot de grootste uitsmijter. Niet erg. Daar leert hij van.'

Mick ziet er anders uit. Nog steeds slank, gebruind en energiek, maar zijn haar is kort geschoren en het rare boevesnorre-tje is vervangen door een korte kinbaard.

'Voor een vent van jouw leeftijd zou het verboden moeten zijn er zo goed uit te zien,' klaag ik.

'Ik doe wel meer dat verboden is. Dit kan er ook nog wel bij.'

Ik kijk rond. Het café is een imitatie van een Engelse pub, zo-als Thai zich dat voorstellen: veel hout, een bar en een biertap, tafels met kleedjes. En Guinnessbier. Mick bestelt twee gla-zen.

'Dit keer heb ik tenminste niet voor niets zitten wachten,' zegt hij. 'Laatst zou een maat van me uit Zuid-Amerika ko-men, maar die heeft het niet gehaald.'

Bij aankomst in Bangkok bleek de maat overleden. Tijdens de vlucht had hij een deken over zich heen en leek te slapen. Toen de stewardess hem bij aankomst wilde wekken was hij dood, onder de kots, overleden aan een hartaanval of een be-roerte.

'Oude vent?' vraag ik

'Nee, jonge kerel, jonger dan jij.'

Hij grijnst, ik lach mee. Hij is weer goed in vorm.

'Maar zonder dollen,' zegt hij, 'gefeliciteerd en welkom bij de club. Wat ben je nu verder van plan?'

Gek genoeg is dat geen vraag waarop ik een pasklaar ant-woord heb, hoewel ik er lang genoeg over heb nagedacht en ge-fantaseerd. Wat te doen met de poen? Een leuke coffeeshop kopen in Amsterdam, beetje rondhangen en roken met een stel toffe gasten? Mark raadt het sterk af. Panden op de Wallen, lek-ker dollen met de hoeren? Mark ziet er niets in. Hij is een man met hart voor zijn vak en vindt belastingontduiking de plicht van iedere verantwoordelijke burger. Naar zijn mening is de staat de belangrijkste bron van onderdrukking, diefstal en ge-weld. Wie belasting betaalt maakt zich daaraan medeplichtig.

Ik spreek hem niet tegen. Een mens wordt geboren, betaalt belasting en gaat dood. Wie het lukt één van die drie te vermij-den heeft het uitstekend gedaan en iedereen die daarvoor met een goed plan komt, kan op mijn volle aandacht rekenen.

Marks eigen voorkeur gaat uit naar de vastgoedhandel. Grote bedragen, weinig controle, veel corruptie. Het principe is simpel: geld lenen aan jezelf. Mijn Nederlandse vastgoed-bv ontvangt leningen van een van mijn brievenbusmaatschappijen in Panama of Jersey. Het geld wordt gebruikt voor aanschaf van vastgoed. De bv verkoopt het vastgoed met winst. Resultaat: het geld is witter dan wit. Hij noemt het een *loan back*-constructie en is er erg trots op. Ik hoef er verder niets aan te doen. En dat is precies het probleem.

Mick weet de oplossing. Hij heeft een paar leuke projecten op stapel staan en ik mag meedoen. Eerst moet hij de lading uit Rotterdam afwikkelen, daarna heeft hij zijn handen vrij voor een nieuwe onderneming.

Hij steekt zijn hand op om nog twee glazen te bestellen. Om zijn nek zie ik een ketting met twee gouden boeddha's.

'Ben je bekeerd?' vraag ik.

'Ik geloof helemaal nergens in en volgens mijn buurman de abt ben ik daardoor boeddhist tegen wil en dank.'

Mick is goed bevriend geraakt met zijn eerwaarde buurman. Ze zoeken elkaar regelmatig op. De boeddhahangers zijn een cadeau. Als tegenprestatie neemt hij regelmatig een fles Black Label mee. Ze zijn beiden erg gesteld op die visites. Mick vertelt boevenverhalen. De abt citeert boeddhistische teksten.

'Soms komt hij met heel merkwaardige spreuken,' zegt Mick, 'luister: *Er is geen lijden. Er is geen begin van lijden. Er is geen eind aan lijden. Er is geen wijsheid. Er is geen weg.*'

Dat is mooi, vindt hij. *Geen wijsheid. Geen weg.* Dan maakt het dus allemaal niet uit. We kunnen doen wat we willen.

'Waarom ga jij eigenlijk nog door?' vraag ik. 'Je bent allang binnen.'

'Om me niet te hoeven vervelen,' antwoordt Mick.

Terugkijkend op zijn carrière beseft hij nu dat het bestrijden van verveling centraal stond. En het werkte, hij heeft zich in zijn leven geen dag verveeld.

'Mooi grafschrift,' zeg ik. '*Hij heeft zich geen dag verveeld.*'

Mick lacht en kijkt op zijn horloge.

'Genoeg geluld,' zegt hij, 'we gaan naar de Pink Panther. Kijken of Larry nog leeft.'

Om naar Patpong te komen moeten we Silom Road oversteken. Onmogelijke zaak midden in het spitsuur.

'Hoe wil je naar de overkant komen?' vraag ik.

'De overkant. Daar had mijn vriend de abt laatst ook zo'n mooie spreuk over.'

Hij steekt een vinger op en declameert: '*Velen wachten op de oever en staren verlangend naar de verre kust. Slechts weinigen wagen de tocht en nog minder halen de overkant.*'

Hij staat op. Ik sta op. Mick rekent zelf af.

'Maar om je vraag te beantwoorden,' zegt hij, 'zolang de verre kust buiten bereik is zullen we de voetgangersbrug moeten gebruiken. Hier naar links en tweehonderd meter teruglopen.'

Buiten slaat de vochtige hitte ons in het gezicht. We wandelen langs Silom Road in de richting van de brug. De schemering valt, de lucht kleurt roze en de zwermen spreeuwen strijken weer neer op de bomen. Op de trottoirs verschijnen de eerste marktstallen met nagemaakte merkkleding, illegaal gekopieerde video's, elektronica, leren riemen, filmposters, boksbeugels, walkmans, zijden sjaals, fruit en huishoudelijke artikelen. Mick staat stil bij een van de kramen en rommelt tussen de cassettes op zoek naar *Johnny Cash live at Folsom Prison*.

'Veel beter dan het San Quentin-concert. Ooit een plaat van gehad, uitgeleend en nooit meer terug kunnen vinden.'

'Wat is er mis met *Live at San Quentin*?'

Hij antwoordt niet. Plotseling ziet hij een opening in het verkeer.

'Laten we oversteken,' zegt hij en maakt aanstalten de weg op te stappen.

Ik steek mijn arm uit om hem tegen te houden. 'Kijk uit. Dat stoplicht springt zo op groen. Zo direct komt de hele bende als een kudde dronken olifanten voorbijrazen.'

Ongeduldig duwt hij mijn arm weg.

'Doe niet zo angstig. Oude zak.'

Het stoplicht springt op groen. Het verkeer trekt op. Een

zware motorfiets ligt ver voor op de meute auto's. Ik sta vastge-
nageld aan de rand van het trottoir.

Mick de Bokser sprint voorwaarts. Rap als een antilope.
Maar in de jungle van Bangkok is zelfs voor de snelste dieren
des velds geen plaats.

De laatste halve seconde voordat de zware motorfiets hem frontaal raakt staat Mick stokstijf stil als een konijn in de koplampen van een auto. Zijn lichaam vliegt meters door de lucht en zijn hoofd dreunt met een misselijkmakende klap op het asfalt van Silom Road. Heel even beweegt hij nog. Zijn hand kruipt langzaam naar zijn achterzak, naar zijn portefeuille. Een grote plas bloed vormt zich om zijn hoofd. Hij ligt stil.

Ik sta erbij en kijk ernaar, stokstijf, niet begrijpend. Niet lang, want plotseling sta ik midden op Silom Road, wanhopig zwaaiend met mijn armen om het verkeer te stoppen. Ik duw toeschouwers weg, probeer ruimte te maken, roep om een ambulance. De motorrijder ligt een eind verderop. Gewond? Ernstig? Niet zijn schuld. Niet mijn probleem. Niemand maakt aanstalten om te helpen. Ik trek een pak bankbiljetten uit mijn broekzak, wuif ermee, schreeuw.

'Ambulance. Hospital. Please.'

Een paar Thai beginnen te sleuren aan het lichaam om het in een pick-up te leggen. Een van hen buigt zich naar voren en graait naar de gouden boeddha's. Ik spring ertussen en ram een elleboog tegen zijn achterhoofd. Grijp een ander bij zijn shirt. Smijt hem weg. Hand op mijn schouder. Iemand die dood wil? Nee, politie. Godzijdank, nog nooit zo blij geweest een agent te zien. Hij zet zijn motor dwars over de weg, verspreidt de menigte, roept collega's op, kalmeert mij. Een winkelier heeft alles gezien, zegt hij, en is al aan het bellen.

Een goedgeklede sikh komt naast mij staan. Hij spreekt Thai en Engels en legt uit dat Bangkok tot zijn grote spijt geen ambulances kent. Vervoer van verkeersslachtoffers, meestal lijken, gebeurt door privéorganisaties die in de volksmond bekend staan als de *bodysnatchers*. Ze ontvangen commissies van ziekenhuizen en families en er wordt gefluisterd over andere, duisterder, bronnen van inkomsten. Het is een lucratieve business met moordende concurrentie. Regelmatig vechten de verschillende organisaties territoriale veldslagen uit.

Een witte Ford-bestelwagen dringt zich door de menigte. Vier mannen springen naar buiten met een stretcher. Ruw maar effectief werken ze het lichaam de auto in. De Indiër wisselt een paar woorden met de leider. Die knikt en wendt zich tot mij.

'You pay now.'

Ik geef hem een deel van de stapel bankbiljetten.

'Ok, we go.'

Ik wil instappen. De man houdt me tegen.

'Cannot.'

Niet genoeg plaats, legt de Indiër uit, ik zal een taxi naar het ziekenhuis moeten nemen. Geen sprake van. Een van die gasten blijft maar lekker hier. Ik overhandig de rest van de biljetten en mag meerijden op de voorbank.

Een Thai die voor zijn werk zo hard mag rijden als hij wil is een gelukkig mens. Dat geldt ook voor de chauffeur van de *bodysnatchers*. Rokend, grijnzend en giechelend stuurt hij de bestelbus op volle snelheid door het verkeer, over trottoirs, door rode stoplichten, over de verkeerde weghelft en vindt intussen nog tijd mij folders van verschillende bordelen in de hand te stoppen.

'Have many pretty girl. Good pussy. Very cheap.'

Misschien een andere keer, verontschuldig ik mij. Hij geeft me een kaartje met zijn telefoonnummer. Als ik een meisje wil moet ik hem bellen. Ik beloof het plechtig. Hij draait het stuur achteloos drie keer in de rondte, rijdt het terrein van een ziekenhuis op, zet de motor af en wendt zich tot mij.

'Fast, yes?'

Geen klachten van mijn kant.

'You give tip.'

Ze pakken het professioneel aan. Vier verplegers leggen hem op een moderne brancard, een arts zorgt voor een nekkraag en een infuus. Ze brengen hem direct naar de trauma-afdeling. Ik blijf achter in de hal van het ziekenhuis met een stapel formulieren in Thai en een administrateur die over geld wil praten. Ik teken alles wat hij wil. Desnoods in bloed als hij daarop staat.

Ik bel CallmeTony om hem in te lichten, maar krijg hem niet te pakken. Ik laat een boodschap achter. Van Ray heb ik geen nummer. Vervolgens bel ik naar de Pink Panther en krijg Larry aan de lijn. Hij reageert rustig.

'Is het erg?'

'Erger dan erg.'

'Ik kom eraan. Hoe heet dat ziekenhuis?'

Ik kijk om mij heen. Aan de muur hangt een groot kruis, een afbeelding van een heilige en een naam: *Andreas Catholic Hospital*. Een katholiek ziekenhuis in Bangkok? Geen tijd voor verbazing. Ik geef de naam door. Larry belooft zo snel mogelijk te komen.

Een Thai in westers priestergewaad komt binnenlopen, slaat een kruis voor de afbeelding van Sint-Andreas en maakt direct daarop een hoge *wai* naar het boeddhabeeld ernaast. Ik loop naar buiten. In een hoek van het parkeerterrein, verscholen achter een bestelbusje, rook ik twee joints. Iets meer ontspannen loop ik terug naar binnen. Daar staat Larry op hoge toon te discussiëren met een receptionist.

'Ze willen me niets vertellen,' klaagt hij zodra hij mij ziet.

Dat is geen onwil maar onvermogen, leg ik uit. De patiënt ligt op de operatietafel. Zodra iets bekend wordt, komt de hoofdchirurg dat persoonlijk melden.

Nu uren wachten komt Dr. Chaowalit Wathabunditkul, neurochirurg en specialist in hoofdtrauma's, naar ons toe. Hij woonde ruim twintig jaar in de Verenigde Staten en ontving daar zijn medische opleiding. Hij heeft net geopereerd en brengt geen goed nieuws. Om te beginnen: drie gebroken ribben, een doorboorde long, gescheurde milt, verbrijzelde rechterpols. Ernstige verwondingen, maar niet dodelijk of permanent invaliderend.

Anders ligt het met de schade aan het hoofd: meervoudig schedel- en hersentrauma van zeer ernstige aard. Tijdens de operatie verwijderde hij botsplinters uit de hersenen, wist een aantal gescheurde aderen te repareren en legde *drains* aan om zoveel mogelijk vocht en bloed af te voeren. Meer kan hij voorlopig niet doen. Hij schat de overlevingskans op vijftig procent. De komende dagen wordt de patiënt op de intensive care in coma gehouden.

Als hij al overleeft, vraagt Larry, hoe liggen dan zijn kansen op volledig herstel? Daar kan de dokter duidelijk in zijn. Volledig herstel is uitgesloten. Een nauwkeurige prognose valt nog niet te geven, maar het ziet er niet goed uit.

Na een week opent de oude bokser zijn ogen. Iedereen is intussen op de hoogte gebracht. Ray, Larry, CallmeTony en ik zorgen dat altijd iemand aanwezig is. Larry belt half Australië af. David stuurt een beterschapskaart vanuit Amsterdam.

Twee weken na het ongeluk zijn de meeste verbanden om zijn hoofd verwijderd en opent hij zijn ogen op gezette tijden. Hij toont nog geen enkele reactie op de buitenwereld. Ook niet als de deur van zijn kamer hard openknalt en twee grote kerels, allebei gekleed in zwart pak en met een zonnebril op, binnenkomen. We zitten net een spelletje te kaarten. Ray staat op, ik schuif mijn stoel naar achter, zoek een bruikbaar voorwerp en vindt dat in de vorm van een forse injectiespuit. Zonder inhoud helaas.

We hoeven niet in actie te komen. De lijfwachten stellen zich naast de deur op. Achter hen komt een man de kamer binnen. Een kleine, tamelijk stevig gebouwde man van middelbare leeftijd met een bril. Een boekhouder of bedrijfsleider van een middelgrote supermarkt zo te zien. Ik kijk wat beter. Hij kijkt terug. Ik sla mijn ogen neer. Geen boekhouder om in de weg te gaan staan. Hij loopt rechtstreeks naar het bed en bestudeert de stille figuur die daar met open ogen ligt. Daarna doet hij een stap terug en kijkt om zich heen.

'Wat doet dat godverdomde teringding daar?' vraagt hij.

Hij wijst op de Maria-afbeelding boven het bed. Een reproductie van een klassieke madonna met kind. Niet eerder opgemerkt.

'Stel dat hij straks wakker wordt en dat kloteding ziet hangen, dan stikt hij van schrik alsnog de moord.'

Hij gebaart naar een van de lijfwachten dat hij de Maria moet weghalen.

'Goed, volgende keer dat ik kom, neem ik voor boven zijn bed een portret van Ned Kelly mee. Moet je zien hoe snel hij er weer bovenop komt.'

De aanvechting om te vragen wie in godsnaam Ned Kelly is, kan ik bedwingen.

'Wie was erbij?' vraagt hij nu.

Ray zegt niets, ik steek aarzelend een vinger op.

King George wendt zich tot mij.

'Weet je wie ik ben?

Ik knik, dat is intussen wel duidelijk.

'Was het een aanslag of een ongeluk?'

Daar heb ik nog niet eens aan gedacht.

'Gewoon een stom ongeluk.'

'Hoe weet je dat?'

'Niemand kon weten dat we op die tijd en die plek zouden oversteken. Het was een impulsieve beslissing.'

Hij schudt het hoofd, lijkt even na te denken en geeft dan plotseling twee woedende, keiharde trappen tegen een onschuldig kastje.

'Stomme oude klootzak. Hoe vaak heb ik hem niet gezegd niet op die manier straten over te steken. Kijk hem daar nou eens liggen, dan kun je nog maar beter in de bajes zitten.'

Hij draait zich om.

'Wij moeten praten,' zegt hij tegen Ray.

Ray knikt en volgt hem naar buiten. De lijfwachten vertrekken in volgorde van binnenkomst. Ik sluit zachtjes de deur.

Of de verwijdering van Maria er iets mee te maken heeft durf ik niet te zeggen, maar in de weken na het bezoek van King George gaat de toestand snel vooruit. Zodanig dat dokter Wathabunditkul de patiënt uitbehandeld acht. Tegen die tijd is hij grotendeels bij bewustzijn, reageert goed op prikkels, kan zijn linkerarm en -been bewegen en met enige moeite spreken.

De arts adviseert een verpleegster in dienst te nemen om de patiënt thuis te verplegen. Dat wordt moeilijk omdat King George intussen alle zaken, inclusief het huis in Bangkok, heeft overgenomen. Als alternatief stelt Ray voor een villa in Pattaya te huren.

Twee keer per week reis ik trouw van mijn hotel in Pratunam naar Pattaya voor ziekenbezoek. Ray huurt daar geen villa, maar een paleis. Samen met Dara bewoont hij de helft, het andere deel is ingericht als ziekenboeg. De eerste periode daar zet de verbetering door. De patiënt sterkt aan en krijgt langzaam steeds meer functies terug.

Al die vooruitgang wordt teniet gedaan als hij op een nacht wakker wordt omdat hij nodig moet en zonder de verpleegster te roepen zelf uit bed probeert te klimmen. Daarbij valt hij voorover met zijn hoofd op de tegels. De verpleegster treft hem bewusteloos aan, liggend in zijn eigen vuil. Hij ademt nauwelijks en zijn gezicht is blauw. Ray brengt hem met gierende banden naar het ziekenhuis. In plaats van hem direct te behandelen volgt daar een langdurige discussie over geld, terwijl de patiënt op een brancard ligt te stikken. Opnieuw zuurstofgebrek in de hersenen.

Sindsdien zit hij als een verdorde plant in zijn rolstoel. De Australische arts die we erbij hebben gehaald voor een second opinion, onderschrijft het oordeel van zijn Thai collega's. Het is een kwestie van tijd. Het kan morgen zijn, het kan nog een paar maanden duren, maar bij een volgende val of infectie is het afgelopen met de oude bokser.

Meestal tref ik hem aan op het strand vlak bij de villa. Het is een echt vakantiestrand, halfnaakte westerse toeristen smeren elkaar in met zonnebrandolie, Thai vrouwen met brede strohoeden verkopen fruit of bieden massages aan en kinderen spelen joelend in de branding. De man in de rolstoel besteedt er geen aandacht aan. Het ongeluk is bijna twee maanden geleden en hij is er nu slechter aan toe dan toen hij hier drie weken geleden kwam. Alleen zijn linkerarm kan hij nog een beetje bewegen, de rest van zijn lichaam is verlamd. Spreken lukt niet meer en het grootste deel van de tijd kijkt hij voor zich uit zonder op de omgeving te reageren. Hij staart in de verte zonder met zijn ogen te knipperen. Wat ziet hij daar? De verre kust? Onzin, waarschijnlijk ziet hij helemaal niets, opgesloten in zijn eigen hoofd.

De verpleegster kleedt hem iedere dag netjes aan, daaronder draagt hij luiers. Het eten voert ze hem met kleine hapjes, zijn slikreflex is verstoord en voedsel komt regelmatig in zijn luchtpijp terecht. Nu zit ze op een krukje naast de rolstoel met een breiwerkje en veegt af en toe wat kwijl van zijn kin.

Het is een leuke verpleegster. Midden twintig, aardig koppie, tussen kordaat en verlegen. Ik vroeg haar een keer waarom ze altijd zit te breien, Thailand lijkt me niet een plek waar veel behoefte bestaat aan wollen kleding. Volgens haar zie ik dat verkeerd, Thai zijn vreselijke koukleumen en als bijverdienste verkoopt ze wollen mutsen voor koele avonden. Als privéverpleegster verdient ze twee keer zoveel als in een ziekenhuis en ze houdt genoeg tijd over om wat bij te verdienen. Aardig meisje, ik zal maar een beetje bij haar uit de buurt blijven.

Toen de patiënt nog in Bangkok lag, zaten we iedere dag in het ziekenhuis. Pas nu krijg ik voor het eerst de tijd me af te vragen wat ik hier verder nog doe. Het spel is gespeeld, de prijzen verdeeld en het verhaal met Noi afgelopen. Niets meer van haar gehoord. De enige reden waarom ik hier nog ben is dat het als verraad voelt een gewonde kameraad in de steek te laten. Ook al heeft hij helemaal niets aan mijn aanwezigheid.

Misschien moet ik gaan breien net als die verpleegster. Zij

zit de hele dag geduldig bij hem. Ik houd het niet langer vol dan een uur. Iedere keer hetzelfde ritueel: twee uur rijden naar Pattaya, uurtje ziekenbezoek, uurtje kletsen met Ray, twee uur rijden naar Bangkok. Zes uur uit en thuis voor een bezoek van een uur dat grotendeels onopgemerkt blijft.

Over het strand loop ik terug naar de villa. Ray zit met een fles bier bij het zwembad. Dara loopt rond met drankjes en hapjes. Ze is een paar kilo aangekomen en het staat haar goed. Eigenlijk is het een mooie, elegante vrouw. Gek, dat is me nooit eerder opgevallen. Het zal de luxe omgeving wel zijn. Ray is meer dan een paar kilo aangekomen en het staat hem beslist niet goed. Hij staat voor belangrijke beslissingen in zijn leven.

'Wat denk jij,' vraagt hij, 'zou ik een goede vader zijn?'

Ray is serieus. Dara heeft het de laatste tijd steeds vaker over kinderen en hij twijfelt. Kinderen betekenen pensioen in onze handel. Is hij daar klaar voor? Financieel wel, maar zal hij zich niet vreselijk gaan vervelen? Dat denk ik niet. Een *farang* die in de vastgoedhandel in Thailand gaat, krijgt voldoende opwinding te verwerken.

Ook zonder kinderen breidt zijn familie zich gestaag uit. Op verzoek van Dara liet Ray twee tantes en een jongere zus overkomen naar Pattaya. Hij was nog wel zo slim ze niet in huis te nemen. Samen zitten ze nu in een appartement. Vooral die zus is een leuk meisje, zegt Ray. Ik zou haar eens moeten ontmoeten. Voor ik beleefd kan bedanken gaat de telefoon. Ray neemt op, luistert even en draait zich om.

'Het is voor jou,' zegt hij.

Het is CallmeTony. Er doet zich een onverwacht probleem voor waarover we moeten praten. Maar niet over de telefoon.

'Better you go Bangkok, now,' zegt hij en hangt op.

Ray laat een taxi komen. Ik ga intussen afscheid nemen van de patiënt, maar die kijkt dwars door me heen. Onbeweeglijk zit hij in de rolstoel en staart naar de Golf van Thailand in de verte. De verpleegster heeft zijn stoel in de schaduw van een palmboom gezet en er staat een licht briesje vanuit zee. Ik probeer zijn aandacht te trekken.

'Je zit hier goed man, palmbomen, strand, zee en een lekker verpleegstertje, wat wil je nog meer?'

Geen reactie.

Ik probeer het met een verslag van het gevecht om de wereldtitel zwaargewicht een paar dagen geleden, waarbij Mike Tyson de jongste wereldkampioen ooit werd.

'Knock-out in de tweede ronde, die Tyson is een beest. Misschien wel de beste bokser die ik ooit heb gezien, beter dan Ali zelfs. En hij is pas twintig, die wordt de komende tien jaar niet verslagen.'

Hij antwoordt niet, maar zijn arm beweegt alsof hij me een linkerhoek wil geven. In slow motion ontwijk ik en counter met een rechtse directe. Zachtjes raak ik zijn kin aan. Zijn mondhoeken krullen omhoog in een scheve grijns, even focussen zijn ogen zich op mijn gezicht. Het lukt hem zijn hand op te tillen met de palm naar mij toe. *High five*. Dan is het moment weer voorbij.

Ik neem afscheid op dezelfde manier als altijd. Klap op zijn schouder. Niet te hard.

'Zie je over een paar dagen.'

Geen reactie.

*

Twee uur later loopt mijn taxi vast in de menigte ter hoogte van het Indra Hotel. Alle toegangswegen tot Pratunam zijn afgesloten met hekken. Agenten op motorfietsen houden de wacht. Duizenden mensen bewegen zich in dezelfde richting. Ik laat me meevoeren door de menigte tot bij het Phoenix Hotel. Daar tref ik een nerveuze CallmeTony aan.

'I forget,' zegt hij met een gebaar naar de massa's buiten.

Wat is hij vergeten? Iets wat hij niet kan en mag vergeten, een heel bijzondere dag. Drie keer per jaar, vertelt hij, deelt de Godfather van Pratunam geld uit, elke keer op een andere locatie. Op de verjaardagen van zijn moeder, zijn eerste echtgenote en zijn oudste dochter. Zo eert de patriarch de belangrijke vrouwen in zijn leven en verzekert zich tegelijk van de loyaliteit van zijn onderdanen. De verjaardag van wijlen zijn moeder viert hij in Pratunam. Bij die gelegenheid verdeelt hij binnen enkele uren ruim twee miljoen baht, ongeveer tachtigduizend dollar, onder de bevolking.

Daar komt de nodige organisatie bij kijken en alle medewerkers, inclusief CallmeTony, dienen zich beschikbaar te houden. Veel gedoe, maar niet het urgente probleem waarover hij belde.

Vanmorgen vroeg verscheen Noi in het hotel en vroeg naar mij bij de receptie. Toen ze te horen kreeg dat ik niet aanwezig was, begon ze stennis te schoppen. CallmeTony was toevallig wel aanwezig. Tegenover hem bedaarde ze een beetje. Hij vroeg wat ze kwam doen. Mij zoeken, antwoordde ze. Als ik niet over de brug kwam zou ze zorgen dat ik grote problemen kreeg. CallmeTony beloofde contact met mij op te nemen. Ze gaf hem een adres. Daar wachtte ze vanmiddag en vanavond en ik kon maar beter komen opdagen. Hij knikte en werkte haar met zachte hand de deur uit.

'Waarom met zachte hand?' wil ik weten.

Met chanteurs moet je korte metten maken en hij beschikt over voldoende middelen. CallmeTony vindt het niet de moeite waard. Zeker, hij kan haar laten intimideren, bedreigen, beschadigen of zelfs laten verdwijnen. Maar dat gaat niet zomaar. Voor dergelijke acties is toestemming van hogerhand nodig. Er bestaan procedures en richtlijnen. Het is veel eenvoudiger het meisje een paar duizend dollar te geven en van het gedonder af te zijn. En, heeft ze niet ook een klein beetje gelijk? Voor mij betekent een dergelijk bedrag niets, voor een barmeisje is het een hoop geld. Zo gaat hij nog even door en ik vraag me af aan welke kant hij eigenlijk staat.

Goed, ze kan wat mij betreft honderdduizend baht krijgen, een mooi jaarsalaris. Daarna moest ze echt oplazeren anders wordt het mijn beurt om vervelend te doen. Dat lijkt CallmeTony een nette regeling. Hij stelt voor weg te glippen zodra de kans zich voordoet, dan brengt hij mij naar haar adres om de zaken voor eens en altijd te regelen. Dat kan even duren want het uitdelen van geld neemt uren in beslag. En nu moet hij zich als de donder bij het gezelschap van zijn baas voegen voordat zijn afwezigheid opvalt. Ik mag mee.

Op een plein even verderop heeft de menigte zich verzameld. Onderverdeeld in groepen mannen, vrouwen en kinderen zitten de mensen te wachten op straat. Als we aankomen, spreekt Poh Surachai Pannawatananusom met een megafoon zijn onderdanen toe. Hij draagt een korte broek en een baseballpet. Om hem heen vier lijfwachten, achter hem zijn hele familie aan zes tafels. De Godfather praat maar door. Om de haverklap en als op commando lacht de menigte. Is dit een letterlijk geval van lach of ik schiet, of is hij een echte grappemaker? Misschien vertelt hij wel Thai moppen.

Een groep van een paar honderd kinderen zit vooraan. Die zijn als eerste aan de beurt en Poh neemt zelf de honneurs waar. Geflankeerd door twee helpers met geldtassen en met een opgerolde krant in zijn hand loopt hij de rijen af. Ieder kind krijgt honderd baht. Degenen die al geld hebben ontvangen moeten weg. Sommigen sluiten stiekem weer achter aan. Poh ziet en onthoudt alles. Als hij een kind voor de tweede keer voor zich ziet, krijgt het een paar tikken met de opgerolde krant als straf voor zijn ongehoorzaamheid en vijftig baht extra als beloning voor lef en initiatief. De Godfather zal hun gezichten en namen onthouden en uit hun midden zijn toekomstige soldaten rekruteren.

Als Poh klaar is met de kinderen nemen zijn helpers het over. Alle vrouwen krijgen tweehonderd baht, de mannen honderd.

'Waarom krijgen de vrouwen meer?' vraag ik.

Omdat mannen het meteen opzuipen, terwijl vrouwen voor het gezin moeten zorgen, legt CallmeTony uit. Later krijgen ze ook nog bonnen voor rijst, olie en andere voedingsmiddelen.

Iemand tikt op mijn schouder. De Godfather zelf. Ik haast me een hoge *wai* te maken. Hij praat even met CallmeTony. Die glimlacht als een gangster met kiespijn. Zijn baas heeft een geweldig idee: waarom laten we de *farang* niet helpen met geld uitdelen. Lachen toch. Vooral als we hem bij de vrouwen zetten.

Ik voel er niets voor, maar tegenspraak is geen optie. CallmeTony moedigt mij aan.

'Can go. Old man like joke.'

Waar heb ik dat eerder gehoord? Op deze manier krijg ik binnenkort een vaste positie als hofnar.

Alle ogen zijn op mij gericht. Een menigte vrouwen wacht geduldig aan mijn voeten. CallmeTony loopt schuin achter me met een grote sporttas vol bundels biljetten van honderd baht, aan de andere kant loopt een andere gangster met net zo'n tas. Om de beurt geven ze een pak bankbiljetten aan. Ik verdeel het geld eerlijk onder de vrouwen. Nu weet ik eindelijk hoe het voelt om voor god te spelen en hoe filmsterren en dictators zich voelen als de adorerende menigte aan hun voeten ligt. Er bestaat geen enkele drug die het hierbij haalt. Dit is het betere werk. Schrijdend door de menigte voel ik de gloeiende hitte van de middagzon op mijn onbeschermde hoofd. Ik ruik de geuren van vissaus, knoflook en afval terwijl duizenden zich voor mij neerbuigen en hoor geluid van verkeer in de verte als ik bankbiljetten laat regenen over de gebogen hoofden. We zijn al een ruim half uur bezig en de tassen met geld zijn nog half-vol.

Pas rond vijf uur mogen we eindelijk weg. Pratunam is nog steeds afgezet. De oude trouwe Datsun staat op het parkeerterrein van het Indra Hotel. CallmeTony weet door het nemen van achterafstraatjes de verkeersopstoppingen te vermijden. Na een lange rit stoppen we voor een groot grijs gebouw. Volgens mij dezelfde woonkazerne als waar Noi verbleef toen ik haar voor het eerst ontmoette. CallmeTony zet de motor af, haalt een grote joint uit het handschoenenvak en leunt achterover. Hij fungeert slechts als chauffeur, verklaart hij. Ik mag mijn eigen zaakjes gaan regelen.

'You speak girl. I waiting.'

Ik stap uit en ga het gebouw in. De vierde deur aan de linkerkant staat halfopen. Ik klop. De stem van Noi antwoordt. Ik duw de deur verder open en stap naar binnen. Het is niet de kamer waar ik met haar de nacht doorbracht, maar de ruimte is even groot en op dezelfde manier ingedeeld. Ze staat rechts van de deur, twee meter bij mij vandaan. Vlak naast haar staat broer Moo. Wat moet die hier? Ik krijg niet de tijd om iets te zeggen. Een geluid van rechts. Ik draai me snel om. Te laat. De Thai achter mij haalt uit met een revolver in zijn hand. Een zware klap, half op mijn hoofd, half op mijn schouder. Het wordt zwart voor mijn ogen, mijn benen begeven het en ik zak in elkaar, schuin achterover tegen mijn belager aan.

Hij haalt uit om me met zijn wapen in het gezicht te slaan, maar mijn lichaam hangt tegen hem aan. Hij verliest zijn evenwicht en raakt alleen mijn linkerarm. Dan gebeurt alles tegelijk. De deur knalt open en slaat met een dreun tegen de muur. Ik val op de grond, probeer overeind te komen, schop zittend wild om mij heen. CallmeTony komt de kamer binnen, schietend en rollend over de vloer. Noi springt op me af. Nog meer schoten. De kamer is vol scherpe kruitlucht en de echo van explosies. Ik hoor een fluittoon in mijn oren. CallmeTony komt overeind en buigt zich over de drie lichamen. Schieten kan hij dus ook. Broer Moo en mijn aanvaller krijgen een nekschot voor de zekerheid. Het derde lichaam is van Noi. CallmeTony kijkt op haar neer.

'I sorry,' zegt hij en duwt met zijn voet haar arm opzij.

Vlak bij haar hand ligt een smal mes, een mooi elegant damesmesje, maar dodelijk genoeg.

CallmeTony vindt een fles petroleum bij de kookspullen, opent die en giet de inhoud over de gordijnen, het bed en het lichaam van broer Moo. Hij pakt zijn aansteker en steekt de gordijnen in brand. Is hij krankzinnig? Nee, juist niet, hij vernietigt het bewijsmateriaal. Het vuur grijpt snel om zich heen. Het lichaam van Noi ligt vlak bij de vlammen. Wacht even. Misschien leeft ze nog. CallmeTony grijpt mijn arm.

'Waiting cannot,' zegt hij.

Maar Noi dan?

'Little girl. Big bullet.'

Rook vult de kamer. Ik begin te hoesten. CallmeTony sleurt me naar buiten, de gang door, naar de uitgang. Daar staat hij stil, trekt zijn kleren recht, haalt een hand door zijn haar. Hij laat mijn arm los.

'Same you,' beveelt hij.

Ik gehoorzaam: kleren recht, haartjes netjes op zijn plaats.

'Ok, we same normal,' zegt hij.

Rustig lopen we naar de auto, ik voorop, CallmeTony vlak achter mij. Hij opent het portier, laat mij instappen en gaat zelf achter het stuur zitten. Voordat hij de motor inschakelt doet hij de veiligheidsgordel om.

'Same you.'

Ik gehoorzaam.

CallmeTony start, kijkt in de spiegels, zet de richtingaanwijzer aan en rijdt rustig de soi uit. Ik kijk achterom en zie rook uit een van de vensters komen. Als we de hoek omslaan krijg ik het plotseling ijskoud en begin ongecontroleerd te beven en klappertanden.

Voor rouwverwerking geeft CallmeTony me geen tijd. Nu hebben we pas echt problemen, zegt hij. Zelfs in Bangkok kun je niet zomaar drie burgers afschieten en vervolgens de tent in brand steken. En al helemaal niet als je een *farang* bent. Hier komt gedonder van. Minimaal drie doden en als de hele zaak afbrandt komen er mogelijk nog een paar bij. De politie zal snel te horen krijgen dat er een *farang* is gezien. Dat valt op hier. Deze soi is wel dicht bij Patpong, maar beslist geen toeristische buurt. Misschien heeft iemand het kenteken van de auto onthouden. De Datsun moet weg. En ik moet ook weg.

'Better you go.'

Waar zou ik naar toe moeten?

'Go home.'

Misschien moeten we met zijn baas spreken, zeg ik, die kan helpen de zaak in de doofpot te stoppen.

Hij verliest bijna de macht over het stuur.

'You crazy? Speak boss, cannot.'

Als Poh er ooit achter komt, zegt hij, laat die ons onmiddellijk opsporen en oppakken. Mij levert hij vervolgens geboeid af op het hoofdbureau van politie, hoogst persoonlijk en in het gezelschap van een horde persfotografen. Wat hij daarna met CallmeTony gaat doen wil ik niet eens weten. Poh is een verklaard tegenstander van iedere vorm van moord en doodslag die niet door hem zelf is geautoriseerd, en als steunpilaar van de maatschappij draagt hij graag bij aan orde en veiligheid.

Nee, ik moet zo snel mogelijk het land uit. Liefst vanavond nog. Verder moeten we niet meer samen gezien worden. Nadat hij mij bij het hotel heeft afgezet gaat hij er direct weer vandoor. Hij zal hij Mister Joe opdracht geven mij naar het vliegveld te brengen. Daar moet ik met de eerste vlucht het land uit zien te komen. Maakt niet uit waarnaartoe. Weg is weg.

Mijn spullen pakken kost tien minuten. Ik ga op het bed zitten, staar voor me uit en denk aan mijn eerste ontmoeting met Noi, meer dan vier maanden geleden. Ze kon me toen met gemak beroven. In plaats daarvan trad ze op als reddende engel en bood mij haar lichaam aan zonder geld te vragen. Deed ze dat allemaal met voorbedachten rade? Daar zal ik nooit achterkomen. Het is een vreemd idee deze hotelkamer straks voor altijd te verlaten. Ik zit hier al maanden en beschouw het hotel als mijn eigen huis. Ik controleer nog één keer mijn bagage en vind in mijn toilettas een sleutel. Het kost wat tijd voordat ik mij herinner bij welk slot die sleutel hoort.

Op de trap naar beneden kom ik niemand tegen. De voorraadkamer is verlaten. Ik open het slot van de vrieskist. Onder enkele pakken bevroren vlees ligt de tas. Het voorschot voor de kolonel. Onaangeroerd zo te zien. Blijkbaar heeft niemand in al die tijd lamsbout besteld. Wie is de rechtmatige eigenaar? Moeilijk te zeggen. Kan ik dit wel maken? Waarom niet, ik heb wel een bonus verdiend.

De Meester van Tijd en Ruimte zou het wel weten.

'*Het geld ligt op straat, je moet het alleen durven oprapen.*'

Ik pak de tas, leg het vlees terug en doe de deur op slot.

Ongezien bereik ik mijn kamer. Daar vis ik het hawaïshirt uit mijn bagage en gesp de geldtas rond mijn middel. Zoals ik gekomen ben, vertrek ik weer, met een half miljoen dollar op mijn buik. De tas is ijs en ijskoud. Nu niet kleinzerig doen. Wie mooi wil zijn moet pijn lijden en wie rijk wil zijn moet tegen de kou kunnen.

De rit naar Don Muang International Airport duurt een uur, genoeg om alle songs op het Greatest Hits-bandje twee keer te horen. Mister Joe stopt bij de terminal voor internationale vluchten. Wagentje of dragers zijn niet nodig. Ik bedank hem uitvoerig voor zijn diensten en geef een paar biljetten van duizend Baht. Hij maakt een hoge *wai*. Voor ik me kan omdraaien en weglopen, zegt hij: 'Boss, I know Thai joke.'

Beetje laat, beetje ongepast en ik herinner me niet hem ooit om een Thai mop te hebben gevraagd. Maar goed, laat maar horen.

Een meisje van tien komt thuis van school met vieze kleren en schrammen op haar benen, vertelt Mister Joe. Haar moeder wil weten wat ze heeft uitgespookt. Het meisje vertelt dat de buurman haar vroeg in een palmboom te klimmen om voor hem een kokosnoot te plukken.

'Dat kan de buurman best zelf,' vindt moeder. 'Hij wil alleen maar van beneden af naar je onderbroekje kijken. Niet meer doen.'

De volgende dag komt het meisje opnieuw van school met vieze knieën en kleren. Haar moeder vraagt of ze nu weer in de palmboom is geklommen. Ja, zegt het meisje, de buurman drong zo aan. Maar moeder hoeft zich niet ongerust te maken, dit keer is ze de buurman te slim af geweest en heeft gewoon haar broekje uitgetrokken voordat ze de boom in klom.

Ik lach. Het is zo typisch Thai.

Dus dit is nu een echte authentieke Thai grap, vraag ik.

Mister Joe aarzelt even.

'I think, maybe Malaysia Joke,' zegt hij uiteindelijk en glimlacht.

Waar kan ik naartoe? Zonder die tas op mijn buik zou ik de eerste de beste vlucht nemen, maar nu zijn mijn mogelijkheden beperkt. Waar kun je zonder problemen binnenwandelen met een half miljoen dollar op zak? De enige plek waarvan ik het zeker weet is Zwitserland. Ik heb geluk want over ruim drie uur vertrekt een vlucht naar Zürich en in de business class is nog plaats. Mijn bierbuik trekt geen aandacht bij de douane.

Bij een taxfreewinkel koop ik een fraai kalfsleren attaché-koffertje van driehonderd dollar. Waarom zijn spullen in de taxfree altijd twee keer zo duur? Op het toilet gesp ik de geldtas af en leg de bundeltjes honderdjes zorgvuldig in het koffertje. Ik verwissel het hawaïhemd voor een beschaafde polo en gooi de lege tas weg,

Joints roken zit er niet in, maar drank hebben ze in de lounge genoeg. Na drie dubbele whisky's ben ik voldoende verdoofd om mij onder de andere passagiers te mengen en in te stappen.

Mijn buurman in het vliegtuig is een lange vent van mijn leeftijd. Dun haar, dikke bril, grijs confectiepak. De jongen ziet er niet uit, maar reist wel business class. Niet onderschatten. Hij stelt zich voor en schudt mijn hand. Ik noem een naam en hoor tegelijk een stem met een vet Australisch accent in mijn achterhoofd:

'*Eigenlijk is het triest als je er over nadenkt, het eerste wat je tegen iemand zegt bij kennismaking is altijd een leugen.*'

'Landgenoten,' constateert hij. 'Hier voor zaken?'

Ik knik bevestigend.

'Goede zaken?'

Hij houdt maar niet op met vriendelijk doen.

'Mag niet klagen,' antwoord ik, 'en jij?'

'Ik zat net een maand in Japan en geloof me, daarna heb je wel een vakantie in Thailand nodig om te herstellen.'

'Herstellen waarvan?'

'Eindeloze vergaderingen, loze toezeggingen, failliete pseudo-investeerders en nietszeggende beleefdheid.'

Mijn buurman blijkt een ontwikkelaar van software te zijn bij een groot Duits bedrijf.

'Ontwikkeling van een grafische gebruikersomgeving voor personal computers en internetgebruik,' verklaart hij.

'En wat betekent dat in gewoon Nederlands?'

Hij lacht. 'Sorry, ik vergeet wel eens dat er ook nog normale mensen rondlopen. Wat weet je van computers?'

Wat weet ik van computers? Handige dingen om informatie mee op te slaan of berekeningen mee uit te voeren. De politie heeft ze. Banken ook. Toen ik daarnet een ticket kocht gebruikten ze een computer. Kinderen vragen tegenwoordig een spelcomputer voor hun verjaardag. Dankbaar onderwerp voor sciencefiction. Dat is het wel zo'n beetje.

'Er is wel wat meer aan de hand,' zegt mijn buurman.

Hij gaat er eens goed voor zitten. Behalve bij politie, banken en luchtvaartmaatschappijen, vertelt hij, worden computers gebruikt in universiteiten, ziekenhuizen, overheidsinstellingen, grote bedrijven, wetenschappelijke instituten en niet te vergeten, het leger. Heel binnenkort zullen ze naar zijn stellige overtuiging te vinden zijn in gewone huishoudens. Over tien jaar heeft iedereen een eigen computer, tegen die tijd een kastje ter grootte van een televisie, die permanent in contact staat met de hele wereld, voorspelt hij.

Dat komt door twee omwikkelingen: behalve kleiner en sneller zijn computers tegenwoordig steeds makkelijker te bedienen. In plaats van complexe combinaties uit het hoofd te moeten kennen, werkt de gebruiker met symbolen op het scherm, de zogenaamde grafische gebruikersomgeving. Kinderlijk eenvoudig. Hij kan het iedereen in een half uur leren.

De tweede ontwikkeling betreft het zogenaamde internet, een open netwerk van computersystemen waarbinnen gegevens tussen die computers worden uitgewisseld. Zo kan je met een druk op de knop een tekst die je net zelf heb geschreven op hetzelfde moment aan de andere kant van de wereld op het scherm van een andere computer laten verschijnen.

'Dus toch sciencefiction,' zeg ik.

'Helemaal niet, er bestaan al meer dan twintigduizend aansluitingen wereldwijd en zelfs in Nederland een paar. Binnen een paar jaar zijn het er miljoenen.'

'Softwareontwikkelaar, nooit van gehoord. Klinkt interessant, maar verdient het een beetje?'

Interessant is het zeker, zegt hij, en het verdient uitstekend. Toch is iedere minuut die hij in loondienst werkt verloren geld. Het grote geld zit in de ontwikkeling van eigen producten. Hij probeert al een tijd voor zichzelf te beginnen, maar mist daarvoor de financiële middelen. In Japan lukte het ook niet om investeerders te vinden.

'Over wat voor bedragen hebben we het?' vraag ik.

'Kosten of baten?'

'Allebei.'

Hij heeft het allemaal becijferd. Aanloopkosten een half miljoen gulden. Operationele kosten voor de eerste periode, een zelfde bedrag. Wat de baten betreft kunnen de bomen tot in de hemel groeien, tientallen miljoenen, honderden misschien. Het probleem is dat potentiële investeerders dat simpelweg niet geloven. Dergelijke winsten bestaan niet.

Ik weet wel beter, dergelijke winsten bestaan wel degelijk als de vraag onbeperkt is en het aanbod beperkt. Vraag het mijn collega's van het witte poeder. Dit klinkt helemaal niet slecht. Computers. Beter dan me in een Amsterdamse coffeeshop zitten vervelen met een paar miljoen in mijn achterzak.

Laatst las ik in de *Bangkok Post* een interview met een Amerikaanse superbelegger, een multimiljardair. Het geheim van zijn succes was simpel, beweerde hij: nooit investeren in iets wat je niet begrijpt.

In het bagagerek ligt het voorschot voor de kolonel. We vliegen op dertigduizend voet. We hebben alle tijd.

'Leg het nu nog eens langzaam uit,' vraag ik, 'en begin bij het begin, ik wil het graag begrijpen.'

'Nou, eigenlijk begon het in 1969 met het ARPANET, een systeem dat verschillende universiteitnetwerken met elkaar verbond...'

Ik luister aandachtig, stel af en toe een vraag, maar heb eigenlijk allang besloten. Marihuana smokkelen is een spel voor jongemannen. Tijd voor een nieuw spel. Het enige wat ik te verliezen heb is het voorschot voor de kolonel.

Ik ga in de computers.

Colofon

Retour Bangkok van Michiel Heijungs werd in opdracht van Uitgeverij Van Oorschot te Amsterdam gezet uit de Haarlemmer door Perfect Service te Schoonhoven, en gedrukt en gebonden door Ten Brink te Meppel. Het omslagontwerp werd vervaardigd door Christoph Noordzij.